KB096324

Note

노트

장현정 지음

차례

1부) 철학의 연인

대학 신입생이 스스로 고학년의 철학 수업을 수강 신청할 때가 있다. 서른여덟 살의 젊은 철학 교수 올랜도 파르크는 교수 연구실에서 그의 이번 학기 철학과 고학년 개설 강의인 『철학과 자유』 과목에 수강 신청한 여자 신입생의 학번을 확인했다. 그러한 신입생들은 주로 질문이 많고 당돌하며 철학적 사고에 대한 자부심이 대단하다. 이미 많이 경험해본 그로서는 수많은 질문에 또 대답해야 할 것 같아서 머리가 지끈거렸다. 물론, 철학 교수로서 그는 철학적 질문으로부터 자유로울 수 없었다. 그러한 질문에 답하는 것도 그의 본질적 과제였다.

봄비가 캠퍼스를 적시고 그는 커피를 내려서 창가로 가서 바깥을 보았다. 다시 새 학기로군, 그는 그렇게 생각하고 쓰던 논문을 작업하느라 오후 시간을 보냈다. 퇴근길에 베이커리에 들러 도넛과 샐러드를 샀다. 그는 대학 외곽의 주택 단지에 살고 있었는데, 그의 집은 이 지방에서 평범한 2층 목조 주택이었다. 문을 열고 응접실을 지나 부엌으로 갔다. 손을 간단히 씻고는 냉장고에서 오렌지를 꺼내 주스를 만들고 응접실에서 주스, 도넛, 샐러드로 저녁 식사를 했다. 식사 후, 철학 잡지를 뒤적이다가 그가 기고한 글을 읽었다. 맞아, 철학과 엄격한 사유에 대한 갈망으로 이 길을 선택했지. 그는 그렇게 생각하고는 2층으로 가서 샤워를 하고 드레스룸에서 잠옷으로 갈아입고 옆방의 침실에서 잠들었다.

다음 날이 되고 그는 다시 대학으로 출근했다. 장 리본 지역의 에펠 대학은 종합 국립대였다. 인문학의 성지로 전국에서 신입생들이 모여들었다. 그 덕에 신입생들 중에는 꽤나 철학에 대해 안다고 자부하는 학생들이 있었고 보통 그들은 대학 수업의 어려운 수준, 많은 과제, 넘을 수 없는 선배들의 수준에 대해 채 한 학기를 다니기도 전에 기가 눌리기 일쑤였다. 그런 사정은 올랜도 파르크 교수도 잘 알고 있어서 신입생이 3, 4학년 수업을 수강 신청하면 그는 분명 수많은 질문에 대해 대답을 해야 했다. 물론 3, 4학년은 신입생들의 질문에 대해 답을 알고 있었다.

'이리나 몰도브?'

올랜도 파르크 교수는 그럼에도 불구하고 대학 수업은 학년과 상관없이 수강 능력만 되면 된다고 생각했고 귀찮겠지만 신입생들의 예상되는 질문에 대해 정리해서 줘야겠다고 생각했다. 그는 노트북을 켜고 폴더를 만들어 주제별로 약간의 논술을 시작했다. 두 시간이 지나고 입술이 바짝 말랐다. 작성 내용을 저장하고 노트북을 껐다. 냉장고에서 물을 꺼내 마시고는 오후 수업 내용을 훑어보았다. 강의는 『가치론과 존재의 문제』였다. 4학년 전공 수업이었다.

다행히 이 수업은 신입생 중에 수강 신청한 학생이 없었다. 강의 시간이 되고 올랜도 파르크는 강의실로 갔다. 스무 명의 4학년 학생들이 지정석에 앉아 있었다.

"다들 방학 동안 무엇을 하며 보냈지? 자기 사유의 방식을 찾아내기라도 했는가?" 올랜도 파르크가 가볍게 인사했다.

"교수님! 자기 사유의 방식을 찾는 게 취업보다 중요한가요?" 토미 닐슨이 짓궂게 인사에 답했다.

"철학과에 들어온 것 자체가 자기 사유의 방식을 찾고 매 순간 자기 인식이 보여주는 길을 따라 걷는 삶을 선택한 것이 아닌가? 스스로가 그 과정에서 어떤 직업을 선택했다면 그것은 자기 사유의 방식이 움직이는 일부분이겠지?" 올랜도 파르크가 웃으면서 계속 말했다. "취업 자체가 여러분의 앞에 놓여 있다는 것을 잘 안다. 하지만 졸업과 동시에 평생 밥을 먹여주는 직장에 취업하지 못한다고 해서 자신을 패배자로 몰아서는 안되네. 자기가 느껴지기 시작하는 순간이 지금이지. 자기가 원하는 것을 찾고 그것으로 생활을 유지할 방법을 찾아낼 수도 있어. 그러니 마음을 넓게 갖고 자기 사유의 방식을 좀더 훈련하게."

올랜도 파르크의 말에 4학년생들이 고개를 끄덕였다.

"교수님의 자기 사유의 방식은 무엇인가요?" 제나 퀄컴이었다.

"나는 사유하고 판단하고 의미를 부여해. 궁극적으로 모두가 공유할 만한 가치를 찾고 그렇게 존재하도록 애쓰는 것이지. 그것이 이번 학기 동안 자네들과 내가 탐구해야 할 내용이기도 하고. 자, 강의를 소개하겠네. 『가치론과 존재의 문제』는 참고 서적 없이 우리의 생각을 통해 내용이 구성될 걸세. 이 시간을 통해서 여러분은 스스로 가치를 두는 일을 찾게 될 것이고 그것을 통해 어떠한 방식으로 존재하고 살아갈 것인지 정하게 될 걸세. 질문?"

"없습니다, 교수님. 설레어요!" 알베르 코너가 외쳤다.

"강의는 한 번씩 이루어질 때마다 우리가 나눈 내용들을 내가 정리해서 나누어줄 걸세. 자네들이 강의 시간에 가져올 것은 자기 삶에 대해 진지한 자세라네. 그럼, 다음 주에 보도록."

올랜도 파르크는 교수연구실로 들어와서 그의 대학 신입생 시절을 떠올렸다. 무엇 하나 분명한 것이 없던 시절이었다. 마음에 품는 질문도 너무 거대했고 해결하기 어려웠다. 그렇게 하루하루를 보내고 자기 사유의 방식을 통해 그의 사유는 체계적으로 정리되고 발전되었다.

'철학 교수, 좋은 일이지.'

다시 비가 내리기 시작했기 때문에 올랜도 파르크는 연구실을 나와 그의 차로 우선 마트에 들렀다. 집에 먹을 것이 거의 없어서였다. 그는 감자, 당근, 소고기, 우유 그리고 식빵을 샀다. 철학 하는 일 외에 그의 일상은 단순했다. 집에 돌아와 저녁 식사를 하고 내일이 수요일이란 것과 당돌한 여자 신입생을 만날 생각을 하니 이 강의 시간은 쉽지 않겠다고 생각했다.

다음 날이 되고, 비는 그쳤다. 올랜도 파르크의 차는 부드럽게 대지 위를 달리며 인문대학 강의동 뒤편에 섰다. 교수연구실로 가는 동안 몇몇 학생들이 인사를 했고, 그는 잠깐 즐거운 마음이 들었다. 인생의 가장 중요한 시기를 보내는 학생들과 삶에 대해 이야기할 수 있는 그의 직업이 좋았다. 교수연구실에 도착해 커피를 한 잔 내렸고, 그가 쓴 강의 자료를 읽었다. 곧 10시가 되었고 올랜도 파르크는 『철학과 자유』 강의차 강의실로 갔다.

마흔 명의 학생들이 지정석에 앉아 있었다. 올랜도 파르크는 일부러 출석 체크를 했다.

"마닐 오보에?"

"네."

"수잔나 심프턴?"

"네."

"마리엘 까르본?"

"네."

"이리나 몰도브?"

"네, 교수님."

올랜도 파르크는 이리나 몰도브를 응시했다. 키는 보통이고, 체격도 보통, 어깨까지 내려오는 갈색 머리칼에 갈색 눈동자, 흰 피부, 무언가에 사로잡힌 듯한 표정 - 그는 잠시 정신을 차리고는 출석을 마저 불렀다.

"오늘은 『철학과 자유』 강의를 소개하고자 합니다. 혹시 철학과 자유의 관련성에 대해 자유 발언할 학생이 있나요?"

올랜도 파르크의 말에 이리나 몰도브가 손을 들었다.

"말해봐요, 몰도브 양."

"그냥 주어지는 자유가 아닌 자기 존재로서 자유를 획득하기 위해 우리는 철학적 과정을 내면화할 필요가 있는 것 같아요."

이리나 몰도브는 작은 목소리로 그렇게 말했다.

"이리나 몰도브 양의 발언에 대해 설명이 필요한가요?"

"네, 교수님." 학생들이 외쳤다.

"우리 자신의 삶을 사는 것이 생의 과제입니다. 자신에 대한 사유 없이는 진정한 자유가 주어지지 않아요. 자신에 대한 사유는 자기 존재에 닿고 그러한 자기 존재에 대한 인식은 자신의 삶을 살아갈 자유를 주지요. 즉, 자신에 대하여 철학함은 곧 인생의 자유를 얻기 위해 필요한 과정입니다."

올랜도 파르크의 설명이 끝나자 이리나 몰도브가 다시 손을 들었다.

"발언해봐요, 몰도브 양."

"그럼, 철학함의 목적지는 자유 존재인가요?"

올랜도 파르크는 이 상황이 의외로 재미있었다.

"완전한 자유는 형이상학적입니다. 현실에서는 존재할 수 없지요. 다만, 사유함으로, 철학함으로, 자기 존재를 자유케하는 노력이 있을 수 있고, 그 불완전한 노력이 이끄는 불완전한 자유와 삶이 우리가 형성할 수 있는 전부지요."

"그러면 자유는 불가능한 건가요?" 이리나 몰도브의 얼굴에 실망이 가득 찼다.

"순전한 선(善)은 찾기도 어렵고 순전한 자유도 그렇습니다. 다만 그러한 삶의 가치들이 어떤 모습이든 현실에서 한계가 있음에도 추구된다는 것에 의미를 둡니다. 어쩌면 날마다 자유를 형성하거나 찾는 노력을 통해서 우리는 우리가 만족하는 삶을 살 수 있을 겁니다. 좀더 개인과 개인의 삶에 집중하세요. 『철학과 자유』 강의를 통해서 자기 사유와 자기 자유를 꼭 발견하시길 바랍니다. 다음 주 수요일에 강의가 시작될 겁니다."

'한계와 불가능을 뚫고 다음 시대의 철학과 문명이 싹텄지.'

올랜도 파르크는 그렇게 생각하며 교수연구실로 돌아왔다.

올랜도 파르크는 책장에서 그가 작년에 출간한 『철학과 존재의 목적』이라는 책을 꺼내 들어 책상 앞에 앉았다.

'우리 삶은 자기 존재의 목적을 찾고 그것을 이루어가는 과정의 연쇄지.'

그는 잠시 그렇게 생각하고는 그의 책을 읽기 시작했다. 내일 전공 수업인 『인식론과 사유의 과정』 강의 소개 때 필요한 내용을 노트에 썼다. 그 내용은 개별 인식의 중요성과 그러한 인식적 자유가 존재의 목적을 형성하고 결국 삶의 모습을 만든다는 것이었다. 사유의 과정은 개별 인식을 향해 나 있고 인식과 사유의 목표는 존재적 자유의 실현에 있다. 그러한 존재적 자유는 자기 존재의 목적을 실현하고 그 자체로 의미 있는 인식이다.

올랜도 파르크는 그렇게 몇 줄을 쓰고는 자리에서 일어나서 창문 밖 캠퍼스를 보았다. 누군가가 노크했다. 그는 문 쪽을 향해 돌아섰다.

"네, 들어와요."

조심스럽게 문을 열고 들어오는 이는 이리나 몰도브였다.

"이리나 몰도브? 우선 자리에 앉아요. 커피라도 한 잔 할래요?"

"감사합니다, 교수님."

그녀는 머리를 묶었고 책을 안고 있었고 무릎 아래까지 내려오는 치마를 입었다. 그녀의 모습이 지나치게 조심스러워하는 것 같아서 여기까지 오는 것이 큰 용기가 필요했음을 올랜도 파르크는 알 수 있었다. 커피를 내리고 그는 이리나 몰도브에게 커피잔을 건넸고 그녀의 맞은편에 앉았다.

"진로 지도? 아니면 수업 시간에 모르는 내용에 대해 더 알기 위해?"

"둘 다입니다. 이렇게 염치 불고하고 여기까지 찾아온 이유는 교수님께서는 제 고민을 해결할 수 있다고 믿어서 용기를 내어 찾아왔어요."

올랜도 파르크는 고개를 끄덕였다.

"마음속에 있는 걱정이나 어려움을 이야기해보세요. 내가 답을 줄 수 있으면 대답해줄 테니."

이리나 몰도브는 한숨을 쉬었다.

"철학함에도 존재적 자유를 획득할 수 없다면 인간은 너무 불쌍하잖아요. 철학함으로 찾은 자신의 길을 가고 또 그럼으로써 자유를 획득할 수 있다고 생각해 왔어요. 저에게는 철학이 전공이 아니라 교양인 것은 철학함이 삶의 방식이고 그것을 통해서 저의 주요 일을 선택하고 해내서 존재적 자유를 얻기 위해서예요."

"자네, 전공이 무엇인가?"

"지리학이에요."

"그 전공을 선택한 것이 철학함의 결과인가?"

"고등학교 때까지의 생각으로 지리학을 선택했습니다."

"지리학을 전공으로 택한 이유는?"

"저를 둘러싼 세상에 대해 체계적으로 알고 싶어서입니다."

"그리고 교양으로 『철학과 자유』를 선택했고. 전공이나 교양과 상관없이 철학함을 안다면 그 철학함의 시선이 보여주는 길을 가는 게 옳다네. 자기가 알고자 하는 과목을 수강 신청하면 성장하게 되네. 대학은 전공으로 자신을 고정하는 것이 아니라 오히려 철학함의 자세를 가지고 지적인 면에서나 가치적인 면에서나 성장하는 것이 목표라네. 앞으로 자신이 알고자 하는 과목을 들으며 대학 시절을 보내게. 대학의 마지막 학기를 보낼 때 분명 앞으로 무얼 해야 할지 알게 될 테니."

"감사합니다, 교수님."

"취업을 따라 강의를 신청하는 것이 아니라 자네가 알고자 하는 바를 설명하는 강의를 듣는 것이 중요한 이유는 두 가지 때문일세. 첫째는, 관심은 있지만 그 내용을 잘 모르는 경우, 지식의 빈틈을 채우기 위해서고, 둘째는 앞으로 자기가 하고자 하는 일에 필요한 지식의 전반을 이룰 수 있어야 하기 때문이지.

실제로 대학을 다니며 자기가 선택한 다양한 교양이 취업에 더 좋은 장점이 된다는 걸 많이 보아왔지."

"감사합니다, 교수님. 대학 생활을 다양한 교양을 듣고 지식의 빈틈을 채우기 위해서 노력하겠습니다."

"다른 질문은?"

올랜도 파르크는 당분간 이리나 몰도브에게 시달릴 것 같아 머리가 지끈지끈했지만, 그녀 앞에서는 미소를 지었다.

"수업 시간마다 궁금하고 진지한 자세를 가져오면 되네."

이리나 몰도브는 환하게 웃고는 교수연구실 밖으로 나갔다.

'방금의 미소, 뭐지?'

올랜도 파르크는 멋쩍은 표정을 짓고는 다시 책상 앞에 앉았다. 그는 그의 '노트'를 꺼내 들었다. 그 노트는 철학 교수로서 그의 가벼운 인식들을 적는 그만의 방식이었다.

…내가 제한되어 있다는 것 - 그 사실은 여러모로 나를 긴장시키지만 그러한 긴장이 있기에 매일을 계획 세우기와 실행으로 보낼 수 있게 되는 것이다. 물리적으로 주어진 시간의 한계는 물론 존재하지만 내가 이룰 수 있는 것은 그 시간의 양보다 분명 많다. 내게 주어진 시간 동안, 보다 많이 인식하고 분명한 시야를 갖고 보다 많이 이룩하고 싶다….

…오늘 여자 신입생 한 명과 짧은 대화를 나누었다. 인식에 대해 갈망하고 자기 삶에 진지하기 때문에 보이는 감정의 균열을 가진 여학생이었다. 오래전의 내 모습을 보는 것 같아 그녀가 가진 질문들에 성의껏 대답해줬다. 그녀가 일어서서 나가고 잠

시 멍했다. 그것이 무슨 느낌인지는 아직도 모르겠다….

…모든 것이 인식으로 수렴되고 나는 그 속에서 헤엄치느라 청춘을 쏟아부었다. 그래서 철학함이 인식함이라는 것도 알게 되었다. 사물은 흘러가지만, 그것을 사유하고 분류하고 개념화하면 그것은 인식함이 되는 것이다. 그러한 인식함은 수많은 상대적 시선으로 갈무리되어 철학의 여러 분야가 된다. 철학자마다의 상대적 인식의 과정을 통해 철학사가 이루어져 왔다. 제기랄. 그 여학생에 대한 생각이 머릿속에서 지워지지 않는다….

올랜도 파르크는 '노트'를 덮고는 자리에서 일어나 창가에서 캠퍼스를 내려다보았다.

'그 애는 남자친구가 있는 걸까?'

그는 쓸데없는 생각을 한 자신을 책망했다. 논리와 이성으로 자신을 세워왔다고 믿는 그는 이리나 몰도브와 대화를 하면서 그녀의 절반을 이해하게 되었고 그 때문에 그녀에게 매료된 것처럼 느꼈다.

'이런, 감정이 시작되었군. 내 영역 밖의 것인 감정이 시작되었어. 불편하군.'

올랜도 파르크는 등을 끄고서 어두컴컴한 교수연구실에 앉아 깊음 속으로 들어갔다. 저녁이 되고 그는 일찍 퇴근했다.

다음 날이 되고 올랜도 파르크는 『인식론과 사유의 과정』 강의 시간에 맞추어 캠퍼스에 도착했다. 오후 2시 수업이라 졸리는 시간이었지만 철학과 4학년 학생들은 초롱초롱한 모습으로 파르크 교수를 기다리고 있었다.

강의실에 들어온 파르크 교수는 출석을 확인하고 연단 위에 섰다.

"여러분은 이제 스스로 자기 인식을 해내며 한 생애를 살아야 합니다. 매 순간 자신만의 철학함을 통해 자기만의 삶의 모습을 선택해야 합니다. 그것은 자기만의 상대적 의미 찾기로도 나타날 수 있습니다. 철학과에서 사유의 과정을 체계적으로 익힌 훈련은 앞으로 자신이 어떤 삶의 모습을 선택하든지 자기 삶에 반드시 힘이 될 겁니다. 취업이라는 상태보다 장기적으로 자기 일을 찾아야 합니다. 그것이 조금 늦어질 수도 있겠지요. 하지만 저는 여러분을 믿습니다. 자기 사유와 자기 인식의 방식을 배운 여러분은 반드시 여러분의 인생에서 자기 성공을 하게 될 겁니다."

학생들이 박수했기 때문에 파르크 교수는 잠시 멈추었다.

"세상에는 배워야 할 것들이 굉장히 많습니다. 그걸 다 배울 수는 없지요. 그래서 자신을 관찰하고 자신에게 귀를 기울이는 것이 필요합니다. 그 내면의 목소리가 지시하는 바를 집중적으로 공부하고 그것을 여러분의 일로 만들면 됩니다. 지금 그런 일이 나타났다면 여러분은 자신의 사유의 힘으로 그것을 공부하면 됩니다. 인생은 한 번이고 자기 삶을 살도록 요구받습니다. 그렇게 살기를 바랍니다."

그렇게 강의 소개와 당부가 끝나고 파르크 교수는 교수연구실로 돌아왔다. 쓰고 있던 논문을 쓰고 밤 9시에 귀가했다. 이리나 몰도브는 인문대학의 올랜도 파르크 교수의 연구실 불이 꺼지자 기숙사로 터덜터덜 걸어갔다.

금요일 아침이었고 잠에서 깬 올랜도 파르크는 시계를 끌어다 시간을 확인했다. 9시였다. 약간 감기 기운이 있어서 늦잠을 잔 것이다. 1층으로 내려와 부엌으로 가서 뜨거운 커피를 내렸다. 커피를 마시고 다시 2층의 침실로 가서 이불을 덮었다. 이불이 땀에 축축하게 젖었다. 전화벨이 울려 전화를 받았다. 조교의 전화였다. 내일 2시에 대학원 수업이 있다는 것을 확인하는 전화였다.

'그렇지. 내일 대학원 수업이 있었지.'

올랜도 파르크는 다시 깊은 잠에 빠져들었다.

다음 날이 되고 올랜도 파르크 교수는 스무 명의 대학원생들에게 강의를 소개했다. 이 강의는 『철학과 교육』이라는 강의였다. 과제를 제시했으며, 철학과 교육의 목표는 자기 시선 찾기이며 과제를 통해 그 목표에 도달하고자 함을 과제 선정의 이유로 밝혔다.

대학원 수업이 끝나고 교수연구실로 돌아온 파르크 교수는 문의 아래쪽으로 넣은 듯한 편지 봉투를 발견했다. 그는 봉투에서 편지를 꺼냈다.

올랜도 파르크 교수님께,

저는 교수님의 철학 강의 수강생 이리나 몰도브예요. 이 편지가 교수님을 귀찮게 하리란 걸 알지만 또다시 문제에 봉착했어요. 자기 성장의 방향이라는 것이 있다고 책에서 읽었어요. 무조건 여러 강의를 듣기보다는 방향 있게 공부하는 것이 중요하다고 했습니다. 하지만 저는 아직 제 삶에 대해 그것이 어떤 방향으로 이루어질지 모르겠습니다. 스스로 찾아야 하는 걸까요? 자기 철학함을 통해 발견하는 길이 저의 길일까요?

죄송해요, 교수님. 혼자서만 생각하니 제가 바보같아요.

I. 몰도브

올랜도 파르크는 조교에게 전화를 걸었다. 『철학과 자유』수
강생 중에 이리나 몰도브의 연락처를 찾아 연락해서 그의 교수
연구실로 오라는 것이었다. 잠시 후, 뛰어왔는지 숨을 헐떡이는
이리나 몰도브가 파르크 교수의 연구실로 왔다.

"앉게."

"죄송해요. 귀찮게 해드려서."

"아니야. 조금 특별한 학생을 지도하는 것도 내 일이지. 방향
있는 공부는 자네가 1~2년 후에 가질 자세이자 의무야. 대학
1학년 때는 이것저것 듣고 싶은 강의를 듣고 사유의 근육을 키
우는 게 중요해. 그렇게 가다가 자기 삶에서 가장 중요한 과제
를 깨닫게 되고 그것을 이루고자 방향 있는 공부를 시작하게
되는 거지. 즉, 자기 삶을 찾아내고 그것을 이루기 위해 방향
있는 공부를 시작하면 된다네. 대학 신입생은 자유롭게 이것저
것 흥미를 가진 강의를 듣고 그 후에 들어차는 사유의 근육으
로 자기 길을 발견하고 그 길을 이루는데 필요한 공부를 해내
면 된다네. 자네에게 필요한 건 좀더 혼자서 고민하는 것이네.
나의 대답은 자기 탐구를 해야 하는 자네에게 독이 될 수 있
어. 사유의 불편함을 겪는 것이 필요해."

"결국 스스로의 철학함으로 자기 길을 발견하고 그 길을 이
루기 위해 방향 있는 공부를 해야 하는군요. 좀더 고독해져보겠

습니다. 스스로가 발견해야 할 것에 대해 쉽게 답을 구하고자 하지 않겠습니다."

파르크 교수는 그가 이리나 몰도브를 책망한 것 같아 마음이 조금 불편했지만 철학함은 본질적으로 스스로가 해야 하는 과정이어서 그녀의 다짐이 옳다고 생각했다. 이리나 몰도브가 인사를 하고 연구실을 나갔다.

'더는 오지 않는 걸까.'

파르크 교수는 그가 교수이고 그녀가 학생임을 아는 게 고통스러웠다. 공적인 관계일 뿐, 사적으로는 진전되어서는 안 될. 그가 자기 인생에서 여자에 대해 특별한 감정을 가진 것은 이번이 처음이었다.

'좀더 지켜보자.'

그는 교수연구실에서 창문 너머로 잠시 캠퍼스를 바라보았다.

'그 어떤 도덕감일까. 이 감정은 내 도덕감에 막혀 있다. 답답하다. 그녀를 알게 된 지 일주일도 지나지 않았다. 그녀는 사막의 열기 속에서 피어나는 선인장의 꽃 같다. 자신을 둘러싼 호의적이지 않은 인식적 환경에서 스스로를 꽃피우려 노력하고 있다. 집요하지만 그 모습이 사랑스럽다. 내가 도와줄 일은 그녀가 앞으로 나아갈 때마다 벽에 막혀서 울고 있을 때 나의 시선을 보태주는 것뿐이다. 더 이상은 안 된다. 그 외에 다른 것을 기대해서는 안 된다.'

올랜도 파르크는 다시 책상 앞에 앉았다. 일거리가 손에 잡히지 않아 6시에 퇴근했다. 집에 돌아온 그는 따뜻한 물에 샤워를 하고 외출 준비를 끝내고 동네 카페를 찾았다. 그는 카페에서 주로 '노트'를 썼다. 카페 섀도우는 그가 즐겨 찾는 카페였다. 따뜻한 밀크티를 주문하고 그는 늘 앉던 자리에 앉아서 가방 속에서 펜과 '노트'를 꺼냈다.

…삶은 내게 수많은 선택지 중에서 하나를 고르도록 요구했다. 나는 육체노동이 아닌 정신노동을 선택했고 정신노동 중에서도 궁극의 인식을 추구하는 철학 교수의 일을 선택했다. 그리고 삶은 내게 다시 묻는다. 그래서 행복하냐고. 나는 당황했다. 내 일을 찾아서 잘 가고 있는 내게 행복이라니. 내 삶에 약간의 균열이 일어났다….

…엄격하게 자신을 성립시킴으로써 내 존재를 세우고 싶었다. 누구도 내 삶의 영역에 들어올 수 없고 온전히 자신을 사유와 인식으로 휘감았다. 이런 나의 엄격함을 그녀가 나타나 흔들고 있다. 그녀가 가진 사유의 방식은 아직 미숙하지만 존재본질적으로 자기 삶의 방식을 찾기 위해 나아가는 진정성이 엿보인다. 그녀가 부디 깊은 고뇌를 겪고 자기만의 삶을 선택해서 자라는 것을 보고 싶다. 그리고 나는 늘 그렇듯이 감옥 같은 연구실에 갇혀 고독 속에서 늙어갈 것이다. 사랑은 없고 습관이 된 사유가 나의 내면을 눅눅하게 만들 것이다. 지나친 자기 찾기가 보여주는 균형이 깨진 내외부적 삶의 모습이 내 자리에 남아 나는 결국 혼자 있을 뿐이다….

…그렇다. 엄격함으로 성립시킨 내 모습이 내가 소유하지 못한 것에 대하여 나를 뒤흔들고 있다. 나는 꽤 자신감 있는 철학 교수다. 그뿐이다. 내 삶에 사랑은 없고 일거리와 사유만 있을

뿐이다. 그것이 불만이냐면 아니다. 좋은 직업을 갖고 사유하는 모습이 내 삶의 중심인 것에 대해 삶에 감사한다. 지금 내가 겪는 약간의 균열과 혼란은 일시적이고 내가 이 관계에 대해서 객관적으로 잘 처리할 것을 요청한다….

…폴 지방시의 책이 떠오른다. …우리는 모두 각자의 삶을 살 용기가 있을 때 함께 살아갈 수 있다. …개인의 삶의 목표를 충분히 추구할 수 있을 때 공동 사회를 보다 잘 성립시킬 수 있다. …고독은 외로움이 아니며 충분히 자란 성인이 자기 삶을 시작하는 지점이다. …온전히 자기 자신이 된 어른은 자신의 꿈을 향해 나아가는 것이 보다 쉽다. …폴 지방시, 그는 생애 내내 독자적인 철학자의 길을 걸었다….

…이성과 판단의 문제에 대하여. 깨끗하고 논리적인 사유인 이성을 가지고 세상에서 나타나는 문제들에 대해 판단을 내릴 수 있다. 문제를 해결하는 일은 이성과 판단에 의해서다. 문제를 객관적으로 보고 이성적으로 상황을 파악하고 판단한다. 문제가 있는 상황을 해결하기 위해서는 문제를 객관화시켜서 엄격한 이성으로 판단을 내려야 한다. 철학이나 법학에서 이러한 과정을 주로 사용한다….

올랜도 파르크는 '노트'를 덮고 잠시 생각에 잠겨 식어버린 밀크티를 마셨다. 집으로 돌아오는 길에 마트에 들러 통조림콩, 오렌지, 우유, 식빵을 샀다. 늦은 저녁 식사를 하고 2층의 침실에서 잠들었다.

다음 날은 일요일이었다. 올랜도 파르크는 아침에 잠에서 깨자 일주일의 피로가 그를 덮쳐왔고 그래서 오전 내내 침대에서 누워있었다. 오후가 되어 그는 1층으로 내려와 토스트를 만들어 우유와 함께 먹었다. 2층의 서재로 가서 책들을 들추어보다가 이내 피곤해서 다시 침실로 갔다.

저녁이 되고 올랜도 파르크는 산책을 나섰다. 조용한 마을 산책길을 혼자서 걸었다. 생각이 많을 때는 산책을 하거나 카페에 가서 시간을 보내면 생각이 가라앉을 때가 많았다. 한 시간가량 산책을 하고 집으로 돌아온 올랜도 파르크는 샤워를 했다. 내일은 월요일이지만 강의가 없었다. 내일은 쓰고 있는 논문을 쓰기로 하고 잠자리에 들었다.

월요일이 되고 출근한 올랜도 파르크 교수는 그의 책상 위에서 신입생들의 의문점을 해결하기 위해 적은 프린트된 종이를 발견하고는 읽어보았다.

…자기 존재를 깨닫게 되고 어떤 일을 통해 자신을 실현하는가가 하나의 중요한 과제로 우리 앞에 있다. 자신을 응시하고 자신이 어떤 존재인지 고민하는 일은 우리가 자기 존재가 되어가는 과정에서 해야 할 가장 중요한 일이다. 자신을 발견하고 그런 자신이 되는 것 - 그것이 우리의 과제다….

…존재적 자아가 경제적 자아에 앞선다. 우리의 본질은 존재적 자아이고 우리의 존재함의 방식을 선택하는 일이다. 나답게 어떤 삶의 모습을 살아가야 하는가에 대한 고민 후에 그것을 경제적 자유와 관련해 생각할 수 있어야 한다. 나에게 맞는 경제

과정을 선택하는 것이 필요하다. 경제적 자아는 존재적 자아가 충분히 사유의 과정을 거친 후 비로소 자기만의 경제적 과정을 걸어가는 일에서 발견되고 성취된다….

…남은 것은 스스로가 성립시킨 자아가 지시하는 대로 자기 길을 계속 걸어가는 일이다. 자아는 삶의 매 순간 새로운 과제를 낸다. 성장은 새로운 성장을 요청하고 우리는 그것들을 해냄으로써 계속해서 자아의 길을 간다. 생은 자아의 요청과 그러한 자아의 성취로 채워진다. 온전히, 자기 삶을 살아내는 일이다….

올랜도 파르크는 이리나 몰도브가 출석하는 수요일 수업 『철학과 자유』 시간에 이 세 개의 단상들을 학생들에게 내주고 몇몇 주제에 대해 토론 수업을 진행해보아야겠다고 생각했다. 신입생용으로 작성되었지만, 고학년의 토론 과제로도 괜찮아보였던 것이다.

교수 식당에서 점심을 해결하고 인문대학 강의동 뒤뜰의 벤치로 갔다. 약간의 피로와 졸음이 밀려왔다. 벤치에 앉아 시원한 봄 공기를 느끼며 눈을 감았다. 조금씩 머리가 맑아지는 걸 느꼈다. 천천히 눈을 뜨는데 어떤 여학생이 그를 빤히 쳐다보고 있었다. 이리나 몰도브였다.

"교수님? 여기서 뭘 하고 계세요?" 이리나가 발랄하게 물었다.

"아, 점심을 먹고 좀 쉰다는 게 이러고 있었네. 자주 보는군."

"제가 질문을 너무 많이 해서 귀찮으시죠?"

"그런 건 아니야. 원래 에펠 대학 신입생들은 존재본질적 질문에 진지하거든. 고학년이 되면 그런 질문을 자기만의 삶과 연결하기 때문에 질문이 없어지지."

"존재본질적이라는 말의 뜻은 무엇인가요?"

"자기 삶을 성립시키는 가장 근본적인 - 이란 뜻이야."

"교수님은 그런 말도 하시고 정말 멋지세요."

"내가? 나는 그저 늙어가는 철학 교수일 뿐이야."

"자신을 사랑하는 법을 배우세요, 교수님. 당돌하게 들릴지는 모르겠지만. 저는 오후 수업을 들으러 가요. 수요일 강의 시간 때 뵐게요."

이리나 몰도브가 총총 가버리고 올랜도 파르크는 생각에 잠겼다. 그에게 충고를 하는 신입생이라. 당돌하지 않았고 마음에 와닿았다. 그렇다. 오랫동안 자신을 사랑하지 않았고 지나치게 이성적이었다. 삶은 그래서 늘 긴장의 연속이었고 감동이라곤 없었다. 이리나 몰도브의 충고대로 자신을 좀더 사랑하기로 했다.

오후에는 교수연구실에서 논문을 쓰고 저녁 6시에 퇴근했다. 내일 수업은 이미 준비했고 시내에 나가서 혼자 영화를 보았다. 영화의 감동을 안은 채 집으로 돌아와 샤워를 하고 서재에서 여행 관련 책자들을 읽어보았다. 올랜도 파르크는 직접 가는 여행보다는 여행 서적을 보는 걸 좋아했다.

'몇 권 더 사야겠군.'

그는 그렇게 생각하고 침실로 가서 잠들었다.

화요일 『가치론과 존재의 문제』 수업 시간이었다. 파르크 교수는 지난 시간에 학생들과 나누었던 대화를 적은 종이를 학생들에게 나누어주었다. 학생들은 재빨리 문서를 읽었다.

"어때? 지난 시간은 꽤 의미 있었지?" 파르크 교수가 말했다.

"오늘은 어떤 주제로 강의를 이끄실 건가요?" 제나 퀼컴이었다.

"여러분에게 가장 가치 있는 일은 무엇이고 어떻게 그것을 실현할 것인지에 관해서 이야기를 나눠볼까? 가치의 범위는 개인적이고 공동적인 범위를 포괄해."

"저는 매 순간 제가 정의하는 저의 삶을 살고 싶습니다. 그러한 가치를 나타낼 일을 찾는 건 중요한 과제고요." 제나 퀼컴이었다.

"좋아요. 자기 의미를 정의하고 그대로 살아가는 것 - 그것은 굉장히 중요합니다. 다른 학생은요?"

"저는 제 삶의 자세가 정직하고 진지한 것이길 바랍니다. 그 태도가 어떤 중요한 일을 이룰 때까지 계속 공부하고 인식하려고요." 알베르 코너의 말이었다.

"좋습니다. 자신과 자신의 삶에 대해 정직하고 진지하면 반드시 무언가 긍정적인 것을 이룰 겁니다."

"저는 오랜 탐구의 결과로 하나의 깨달음을 담은 어른들을 위한 동화를 쓰고 싶어요. 동화의 형식을 갖추었지만, 그것은 삶의 본질을 담은 것이지요." 풀러 아젠텔이었다.

"구체적이군요. 자신이 오롯이 인식한 것으로 글을 쓰고자 하는 모습이 매우 인상적입니다."

그렇게 4학년 스무 명이 자기 발언을 마치고 올랜도 파르크의 맺음말을 기다렸다.

"모두 자기 가치가 어느 정도 세워져서 가르치는 자로서 뿌듯함과 대견함이 느껴집니다. 가치를 탐구하고 그것을 자기 일로 만들어 그렇게 살아가는 삶은 최고의 삶을 사는 것입니다. 하나의 가치가 종료되면 새로운 가치를 찾을 수 있으니 삶을 엄격하게 제한하지는 않았으면 좋겠습니다. 자기 가치와 자기 삶은 연결되어 있습니다. 자기 삶을 채울 내용은 가치의 탐구에 의해 결정되고 그렇게 삶의 구체적인 모습이 온전히 빛나게 되는 것입니다."

올랜도 파르크는 강의를 마치고 한껏 들뜬 채 교수연구실로 돌아왔다.

다음 날 오전 『철학과 자유』 강의 시간이었다. 한 명이 출석하지 않았고 그 한 명은 이리나 몰도브였다. 올랜도 파르크 교수는 무슨 일이 있는 건가, 하고 잠시 생각하고는 강의를 진행했다. 그 다음 주 강의에도 이리나 몰도브는 출석하지 않았다. 그는 수업을 마치고 조교에게 가서 이리나 몰도브의 주소와 전화번호를 확인했다.

"파르크 교수님께서 수강생의 전화번호를 물으시는 건 이번이 처음이에요." 조교가 까칠하게 굴었다.

올랜도 파르크는 교수연구실로 와서 이리나 몰도브에게 전화를 걸었다. 통화연결음이 들리고 이리나 몰도브는 울먹거리며 전화를 받았다.

"이리나 몰도브 양? 파르크 교수입니다. 수강생이 2주째 강의에 나오지 않아 걱정하는 마음으로 전화했습니다. 혹 집안에 무슨 일이 있는가요?"

"아버지께서 돌아가셨습니다. 어머니는 장애인이고 아직 학생인 남동생 두 명이 있어요. 대학을 다닐 형편이 아니에요. 저는 아버지의 장례를 치르고 이모님의 식당에서 일하게 되었어요. 꼭 저 자신만의 존재론, 인식론, 가치론을 성립시키고 싶었는데 아쉬워요."

"부모님 일은 유감입니다. 혹시 무례가 되지 않는다면 제가 주소지로 방문해도 될까요?"

"아녜요. 지금은 교수님을 뵙고 싶지 않아요. 무너져버린 꿈이 저를 다시 아프게 할 거예요. 그럼."

이리나 몰도브는 전화를 끊었다.

올랜도 파르크는 혼란스러웠다. 수강생 한 명의 꿈에 대해 이토록 안타까운 적이 있었던가. 아니면 그녀를 계속 볼 수 없어서 실망한 건지도. 올랜도 파르크는 두 경우 모두가 해당된다고 생각했다. 만약 그녀가 학생의 신분이 아니라면 그와 그녀의 관계는 도덕적으로 아무런 문제가 없었다. 올랜도 파르크는 그가 그녀의 지적 능력을 키워줄 수 있으며 그녀가 학생의 신분이 아니라면 그녀를 사랑해도 되지 않을까 하는 생각이 들었다. 올랜도 파르크는 고개를 세차게 흔들었다. 아니다. 이리나, 그녀를 사랑해도 된다!

올랜도 파르크는 그가 집필한 두 권의 책과 짤막한 편지를 동봉했다.

이리나 몰도브 양,

올랜도 파르크 교수입니다. 이리나 몰도브 양의 철학인식적 재능이 가정의 사정으로 꽃피우지 못하는 것이 안타깝습니다.

혹 가능하다면 제가 개인적으로 몰도브 양의 정신적 성장을 위해 여러 철학적 지도를 할 수 있을까 합니다. 부담은 갖지 마세요. 재능 있는 청춘이 꿈을 포기하게 둘 수 없어서입니다. 제가 쓴 두 권의 책을 동봉합니다. 회신을 기다립니다.

올랜도 파르크

2주 후, 올랜도 파르크는 과사무실에서 그에게 온 편지를 발견했다.

답장이 늦어서 죄송해요.
제안해주신 일에 대해 생각해보았습니다.
정말 그렇게 해도 되는 건가요? 제가 스스로의 인식 능력을 가질 때까지 교수님께서 개인적으로 지도해주실 수 있나요? 저는 너무 감격해서 울기까지 했답니다. 대학 졸업장은 없어도 됩니다. 다만 이제 시작된 제 삶에 대한 사유가 멈추고 소멸되는 것이 두려웠어요.
정말 그래도 된다면 저를 지도해주세요. 어떤 방식일지는 모르겠지만 저는 독자적인 사유와 인식에 대해 목마릅니다. 일주일에 한 번 제 사유에 대해 교수님께서 평가해주시고 또 빈틈을 메워주세요. 장소는 에소르의 비든 카페가 좋겠어요. 월요일 2시로 시간을 정할게요. 요일은 바뀔 수도 있지만, 월요일이 식당 휴일이거든요.
그럼 다음 주 월요일에 비든 카페에서 볼까요?

I. 몰도브

올랜도 파르크는 행복했다. 그녀를 계속 볼 수 있고 그녀가 성장해가는 것을 볼 수 있고 더는 그녀가 학생이지 않아서였다. 그는 편지를 몇 번이고 읽고는 책상 서랍에 편지를 넣어두었다. 그리고 퇴근했다.

다행히 월요일은 강의가 없는 날이었다. 일요일 저녁이 되고 그는 형식적으로 이리나에게 가르쳐줄 내용을 종이 한 장에 썼다. 그것은 자아의 존재성과 자유의 문제에 관한 논술이었다. 실제로 지난 시간 『철학과 자유』 시간에 수업한 내용을 요약한 것이었다. 월요일이 되고 그는 차를 몰고 두 시간이 걸려 에소르에 도착했다. 그는 비든 카페를 찾아냈다.

시간을 확인하니 12시였다. 그는 카페에서 간단히 식사를 하고 커피를 마시며 그녀를 기다렸다. 한 시가 조금 넘어 이리나 몰도브가 나타났다. 그녀는 살이 조금 빠졌고 해쓱해 보이기는 했지만 그녀를 두르는 건 여대생 특유의 생기였다.

"교수님! 오셨어요?"

"그래요. 몰도브 양. 많이 걱정했습니다. 앉으시죠."

이리나 몰도브는 자리에 앉아 올랜도 파르크를 잠시 응시했다.

"저 궁금한 게 있어요. 왜 그저 수강생일 뿐인 저에게 직접 철학을 가르쳐 주려고 하셨는지."

"재능을 보았습니다. 잘 키우면 독자적인 저술을 할 수 있는 철학자로 자랄 수도 있을 것 같아서지요. 대학을 다니는 학생들 중 이런 재능을 보이는 학생들이 가끔 있습니다만, 대부분은 사회와 타협하고 사회 속에서 평범하게 살아가지요. 아주 드물게 자기 재능을 실현하기 위해 노력하는 학생들이 있고 그들이 시대를 이끌어가는 주역이 되지요. 그런 드문 유형의 재능이 몰도브 양에서 발견됩니다."

"아, 그래도 너무 감사해요. 꼭 재능을 꽃피워서 독자적인 저술을 해낼 수 있기를 원해요. 사실, 그걸 원해왔어요. 무척이나 많이."

올랜도 파르크는 고개를 끄덕였다. 사실, 그가 그녀를 선택한 것은 그 안에 있는 애매한 마음 때문이었다. 그녀의 재능도 재능이지만 그녀를 곁에 두는 것이 그에게 필요했다. 그녀가 몰두하는 주제에 대해 그는 고개를 끄덕일 수 있었고 그런 모습이 한없이 사랑스러웠다. 올랜도 파르크는 절반은 거짓말을 한 셈이었다.

올랜도 파르크는 서류 가방에서 종이를 꺼내 이리나 몰도브에게 건넸다.

"오늘 수업인가요?"

"수업하기 전에 무슨 음료를 주문할까요?"

"저는 아이스 커피요. 교수님은요?"

"저도 아이스 커피를 마시겠어요. 제가 계산하죠."

"아닙니다. 제가…."

벌써 올랜도 파르크가 자리에서 일어나 계산대로 갔다. 곧 두 잔의 아이스 커피를 사이에 두고 올랜도 파르크는 수업을 하기 시작했다.

"우리가 우리 자신의 의지와 감정, 힘과 이성을 깨닫게 되었을 때 우리는 자아가 움직임을 알 수 있습니다. 그러한 자아에의 의도적 인식이 자기의 존재함을 인식하게 하고 우리는 비로소 존재자가 됩니다. 스스로를 스스로라고 인식할 수 있는 자아의 상태가 존재함의 시작이 되고 그것은 자유를 향해 달려갑니다. 존재함은 발전되는데 날마다 자유를 경신합니다. 자기 존재는 매일의 인식에 따라 날마다 발전되며 그러한 발전은 새로운 자유를 향해 움직입니다. 즉, 우리는 스스로의 인식으로 자신을 발견하고 그러한 존재함의 과정은 날마다 새로운 자유를 위해 움직입니다."

이리나 몰도브는 올랜도 파르크 교수의 설명을 경청했다.

"그럼 자아를 최초로 인식해야 그 존재가 존재자 혹은 자기 존재가 되는가요?"

"그렇습니다. 자아에의 인식이 자기 존재를 시작하는 열쇠지요."

"그럼 자아는 계속해서 새로운 과제를 자신에게 제시할 때마다 자유를 경신하는 건가요?"

"우리는 자아에게 숙제를 내고 그것을 인식하거나 해낼 것을 명령하죠. 자아는 그럼으로써 늘 자유를 경신합니다."

"그렇다면 자아는 정확하게 어떤 과정 혹은 모습인가요?"

"가장 간단하게는 자기 자신의 의지이며 가장 포괄적으로는 자기 삶의 주관성입니다. 자아는 우리가 인식하는 것만큼 훨씬 다양한 스펙트럼이 주어지죠."

"아, 저는 지금부터 제가 인식한 자아로 움직이겠어요. 제가 하는 모든 일이 제 자아에 인식되게끔 하고 매 순간 자아존재성에 의해 자유를 경신해나가겠어요."

"어떤 의미로 자아존재성이라는 말을 썼죠?" 올랜도 파르크는 그저 궁금했다.

"자아로 인해 얻게 되는 존재적 성격 - 이런 뜻으로 사용했어요."

이리나 몰도브는 약간 상기되었다.

"자아성을 통해 자기 자신을 인식하게 되고 그러한 인식은 존재 방식을 세우고 또 그렇게 모든 일을 해나가는 것은 자유를 경신하는 과정이다. 대충 오늘 수업의 요약입니다."

올랜도 파르크 교수가 말했다.

이리나 몰도브가 수업 내용이 적힌 종이를 꼭 껴안고는 한숨을 내쉬었다.

"아버지 장례식은 가지 못해서 미안합니다."

"아니에요. 교수님. 그때 전화 주셔서 너무 감사했어요."

"식당에서 일한다고. 힘들지는 않습니까?"

"굉장히 작은 가게여서 일하는 건 힘들지 않아요. 게다가 저는 꿈을 다시 가지게 되었어요. 저만의 독자적인 저술을 해내기 위해 지금은 인식적으로 훈련하는 시기예요. 교수님께서 열어주신 이 기회를 꼭 잘 보내고 싶어요."

확실히 이리나 몰도브는 키워보고 싶은 재능 있는 젊은이였다. 파르크 교수는 마음속에 그녀에 대한 마음이 있긴 했지만 그저 그녀와 만나서 이야기를 나누는 것만으로도 그는 좋았다. 그녀가 잘 자라서 독자적인 철학자가 되기를 바랐다. 확실히 그녀는 지리학보다는 철학이 더 어울렸고 대학이 아니더라도 조금의 지도로 자기만의 시선을 형성할 수 있을 만큼 똑똑했다.

이리나 몰도브를 차에 태워 그녀의 집 앞까지 데려다주었다. 고속도로를 통해 집으로 오는 동안 파르크 교수는 언제고 때가 되면 그녀에게 고백해야겠다고 생각했다. 그는 지나치게 이성적이고 냉철했기에 이런 감정과 마음의 움직임은 그에게 낯설었다. 그렇기에 마음이 움직이는 것만큼 그의 감정이 중요하다고 생각했다.

다시 한 주가 지났다. 일요일 저녁이었고, 파르크 교수는 이번 주에 있었던 『철학과 자유』 강의 시간에 가르쳤던 내용을 요약해 A4 종이 한 장에 적었다. 그것은 자유의 조건 세 가지에 대해서였다. 다시 월요일이 되었고 파르크 교수는 조금 여유 있게 에소르의 비든 카페에 도착했다.

곧 이리나 몰도브가 와서 그를 가볍게 껴안았다. 얼굴이 확 달아올랐지만 애써 모른 체하고 미소를 지었다.

"교수님, 오늘은 제가 사겠습니다. 아이스 커피 드실 거예요?"

"좋아요. 오늘은 밝아 보이는군요."

"글을 조금 써보았어요. 교수님께 보여드리기 위해 가져왔고요."

'글을?'

올랜도 파르크는 그녀의 글을 읽는 것에 조금은 두려웠고 조금은 설렜다. 그것은 일기가 아닐 것이다. 어떤 이야기도 아닐 것이다. 서툴지만 어떤 인식에 대한 것일지도 모른다. 그것이 어떤 독자적인 인식을 조금 보여주는 것일지도 모른다. 올랜도 파르크는 이리나 몰도브가 내미는 스프링 노트를 받아들었다.

…우리가 자신의 삶을 시작하는 지점은 자아의 깨어남과 그로 인해 제시된 과제에 몰두하면서부터다. 우리는 자기 되기의 일

환으로 온전히 자신만의 인식을 자신만의 개념 사유로 나타낼 수 있다. 우리는 주변적 삶이 아닌 본질적 삶을 추구하고 그것을 살아내야 한다. 자기 본질을 탐구하고 그것을 이루기 위해 구체적인 삶의 모습을 탐구해야 한다….

…그러한 구체적인 일이 지금 존재하는 직업군 가운데 없다면 자기는 그 일을 개척해내야 한다. 그것이 어렵다면 직업을 구하고 자기 본질에 해당하는 일을 해내는 과정을 자신의 중요한 과제로 삼으면 된다. 타협은 일을 구하고, 자기 본질이 추구하는 바를 그저 해내면 된다. 그러한 자기 본질적 일은 나중에 어떤 예술적이거나 인식적 모습으로 나타날 수 있다. 그러니 자기 본질에 대해 조급해하면 안 된다….

…언어 사유와 개념적 진술은 어떤 경우에 있어서 필수적이다. 그것은 앞으로 더 나아가는 힘이 된다. 마음속에 일어나는 일들을 언어로 사유하고 그것들을 개념적 진술로 남기는 일은 그 자체가 목적적이고 진보의 추진력이 된다….

…세상의 분주함 속에서도 자기만의 시공간을 구분해내어 자기만의 사색의 시간을 가져야 한다. 그 시간 속에서 중요한 것을 추려내고 그 모습이 요구하는 대로 살아갈 수 있기 때문이다. 자기 사유에서 자기 할 일을 발견하는 것이 중요하다. 타인이 시킨 일을 기계의 부품처럼 해내는 것이 어떤 면에서는 인간에게 비본질적이지만 이렇게 살아가는 사람이 많다. 그런 면에서 자기 삶의 모습에 대해서 스스로가 자신이 원하는 것이 무엇인

지 진정으로 찾아내고 선택해야 할 것이다. 타인이 시킨 일을 통해서 얻게 될 이익과 스스로의 사유를 통해 선택한 삶의 모습 중에서 어떤 삶을 선택할지 생각해야 한다. 어쩌면 이 두 삶의 모습 모두를 선택할 때, 보다 고민은 줄어들 테지만….

올랜도 파르크는 이리나 몰도브에게 그녀의 스프링 노트를 돌려주었다. 잠시 생각했다. 그가 이미 알고 있는 내용들이었지만 이리나 몰도브에게 그것은 새로운 인식일 터였다. 좀더 생각이 깊어지고 조금 더 독자적이 된다면 이리나 몰도브는 자신만의 책을 쓸 수 있을 거라 생각했다.

"잘 썼습니다. 무슨 참고 서적이라도 있었습니까?"

"그냥 제 생각을 썼어요. 무슨 책을 베낀 흔적이 있나요?"

"그렇다면 이리나 몰도브 양의 미래는 밝습니다. 이 내용은 물론 저는 알고 있는 내용입니다. 하지만 조금 더 나아가보십시오. 그 속에는 저 자신도 알지 못하는 철학의 동굴이 있을 겁니다. 자기에게 과제를 내십시오. 어떤 책을 쓰겠다고. 어떤 제목의, 어떤 내용을 담을지 간단하게 메모하고 그저 몰입해서 써보십시오. 과제 지향적 글쓰기의 매력은 그것이 쓰고자 하는 범주를 어떻게든 분량을 채우고 해내는 데 있습니다. 이 부분은 그저 놔두시고 한 번 시도해보십시오. 그것이 책의 형태를 갖추었을 때, 제가 검토하고, 출간해드릴 수 있습니다."

올랜도 파르크는 몇 개의 단상만으로도 이리나 몰도브의 다음 방향을 짚어냈다. 이리나 몰도브는 잠시 망설이는 것 같았지만 이내 미소를 지었다.

그 미소 - 얼어버릴 듯한 아름다운 미소였다.

"파르크 교수님! 그럼, 한 번 시도해보겠습니다. 제목을 정하고 개념을 얼추 정하고, 그리고 내용을 채우는 것 - 한 번 해보겠어요."

"이리나 몰도브 양, 혹시 철학 범주에서 철학자들이 쓴 책을 얼마나 읽어봤나요?"

"번역되어 있는 책은 전부 다 읽었어요."

"그럼 충분합니다. 자기만의 철학서를 시작하세요."

올랜도 파르크는 시간을 확인하고 이리나 몰도브에게 자유에 관해 쓴 종이를 내주었다.

"오늘 수업인가요?"

"그렇습니다."

"자유에 관한 세 가지 조건……."

"자유의 세 가지 조건이 있다는 걸 알고 있습니까?" 올랜도 파르크가 운을 떼고는 이어서 말했다.

"무언가를 하기 위해 필요한 조건으로서의 자유, 무언가를 달성해서 쟁취된 자유, 지속적으로 무언가를 하기 위해 필요한 자유 - 이 세 가지가 자유로 나아가기 위한 조건입니다. 이리나 몰도브 양은 지금 어떤 자유의 상황에 있다고 생각하십니까?"

"저는 무언가를 하기 위해 필요한 조건이 지금 제게 필요한 자유라고 생각되어요. 식당에서 일을 하지만 독자적인 저술을 해내기 위해 저는 약간의 시간을 매일 허락받을 수 있거든요. 지금 제 상황에서 제가 할 일을 하기 위해 필요한 조건이 하나의 자유라는 걸까요?"

"그렇습니다. 어떤 중요한 일을 하기 위해 필요한 자유는 자신을 이끌고, 그 첫 번째 자유는 계속해서 새로운 자유를 쟁취

해나갈 겁니다. 자유에의 인식을 통해 우리는 삶에서 자기 삶의 목표를 실현하며 매 순간 자유로워지는 겁니다."

"멋있어요. 그런 자유로운 삶."

"몰도브 양도 그런 삶을 선택하셨으니 매 순간 자유를 쟁취하고 또 자유를 만들어나가겠지요. 기대됩니다. 오늘 수업은 여기까지입니다."

올랜도 파르크는 이리나 몰도브를 그녀의 집 앞까지 데려다주었다. 그녀는 차가 시야에서 보이지 않을 때까지 손을 흔들었다.

'그녀가 어떤 주제를 택하고 그것을 어떻게 풀어나갈지 궁금하다.'

이리나 몰도브는 단순히 매력적인 젊은 여성을 넘어서는 무언가가 있었다. 그러한 장점은 그녀의 젊음과 아름다움을 누르고 있었지만 한 번씩 빛날 때 올랜도 자신은 매혹되는 것이다. 올랜도 파르크는 집으로 돌아와서 오늘 있었던 일을 하나씩 다시 생각해보았다. 그녀의 향기와 이야기하는 모습만 떠오를 뿐이었다.

올랜도 파르크는 이번 주 『철학과 자유』 강의 시간에 '존재의 목적'이라는 소주제로 강의했다. 그리고 다음 주 월요일에 그 주제에 관한 종이를 가지고 에소르의 비든 카페로 갔다. 오늘은 이리나 몰도브가 먼저 도착해서 기다리고 있었다.

"일찍 나왔군요. 생각은 진전이 있었습니까?"

"우선 앉으세요. 아이스 커피를 주문하실 건가요?"

"오늘은 따뜻한 라떼 한 잔이 먹고 싶군요."

"알겠어요. 잠시만 기다리세요."

올랜도 파르크는 그가 음료를 주문하려고 했지만, 이리나 몰도브가 민첩하게 굴어서 그는 다음 주에 음료를 사는 것으로 마음을 정했다.

잠시 후, 두 잔의 라떼가 나오고 올랜도 파르크는 서류 가방에서 종이를 꺼냈다.

"오늘 수업할 내용인가요?"

"그렇습니다. '존재의 목적'에 대한 사유지요."

"저, 교수님. 분량은 적겠지만 저만의 사유로 저술을 하고 싶어요. 제목을 정했어요. <인간의 과정>이랍니다. 무척 어려울 것이고 인식의 한계를 만날 것이고 그래도 한번 써보고 싶습니다."

올랜도 파르크는 잠시 생각에 잠겼다. 그녀는 그녀의 나이를 넘어서는 무언가가 있었다. 그것이 무얼까 하고 잠시 생각했다. 그것은 자기 삶에 대한 진지함이었다. 거기까지 생각이 닿은 올랜도 파르크가 말했다.

"다른 사람이야 어떻든 자기만의 삶의 과제를 발견했다면 직진하십시오. 물론, 글쓰기는 과정적 어려움을 내포하고 있습니다. 하지만 그러한 어려움조차 겪어내십시오. 물론, <인간의 과정>이라는 주제는 추상적이지만 그 주제를 어떻게 풀어낼지 저는 상당히 궁금합니다. 한 번 추진해보도록 해요."

"아, 감사해요. 이 격려가 아니었다면 과제를 접었을 겁니다. 한 번 해보겠습니다. 오늘 수업을 듣고 싶어요."

"존재가 자기 존재를 인식했을 때 무엇을 해야 할지 정하게 됩니다. 우리는 동물이 아니라서 본능으로 살아가지 않습니다. 자기 삶을 정의 내리고 그 정의 내린 모습으로 세상을 살아갑니다. 그 모든 모습이 우리가 목표로 하는 것입니다. 즉, 존재가 자기 존재를 깨닫고 자기만의 삶을 살고자 할 때 존재는 목적을 만나게 되고 매 순간 그러한 목적은 경신되어 목적 이루기의 삶을 살아가게 되지요. 하지만 그 목적 이루기가 지나쳐서는 안 되지요."

"지금 제가 <인간의 과정>이라는 저술 과제를 내린 것 또한 제 인생에서 존재의 목적을 세운 것인가요?"

"맞아요. 아주 적절한 목적이지요."

"존재의 목적은 존재가 매 순간 무언가 중요한 할 일을 스스로에게 숙제를 내는 것 같아요."

"왜 존재자가 되는가에 대한 가장 큰 답이 스스로 생각하기에 위대한 일을 하는 행위라고 말할 수 있어요. 우리는 자기 과제에 불타올라야 합니다. 열정을 가지고 그 과제에 돌진해야 하지요. 그러한 과정에서 우리는 독자적인 존재자가 되는 겁니다."

"흐음, 멋져요."

이리나 몰도브가 턱을 괴고 올랜도 파르크를 잠시 응시했다. 그 눈빛이 깊고도 아름다워 올랜도 파르크는 잠시 아무 말도 하지 못하고 라떼에 입을 대기만 했다.

"<인간의 과정>의 저술이 이루어질 때마다 봐도 될까요, 몰도브 양?"

"아니에요. 교수님의 평가는 나중에 책이 나오면 듣는 걸로 할게요. 글을 쓰는 과정은 오직 저 혼자만 해야 할 거 같아요."

"이해합니다, 몰도브 양. 저는 다만 인식의 과정이 어떻게 이루어지는지 궁금해서입니다. 혼자서 완성하고자 하신다면 그렇게 하십시오. 책이 나오면 그때 평가를 하도록 하겠습니다."

"책을 쓰는 것과는 상관없이 수업은 계속 듣고 싶어요."

"알겠습니다. 몰도브 양."

이리나 몰도브를 집에 데려다주고 올랜도 파르크는 자신의 집에 도착했다. 역시 보통 신입생이 아니었다. 수많은 철학서들을 읽고 자기 자신만의 시선을 형성하고자 하는 욕구를 가진 이는 드물다. 올랜도 파르크는 이리나 몰도브가 독자적인 저술가가 될 수 있기를 마음속으로 바랐고 그 과정에서 그가 무언가를 할 수 있다면 교육자로서 기뻤다. 하지만 올랜도 파르크는 이리나 몰도브에 대해 개인적인 감정을 느끼고 있음을 부정할 수 없었다.

샤워를 하고 2층 서재로 갔다. '노트'가 책상 위에 있었다. 그는 자리에 앉아 '노트'를 쓰기 시작했다.

…그녀는 생각보다 뛰어나다. 자기 과제를 스스로 설정했고 그 과제에 열정적이다. 시간이 지나고 그녀가 자신만의 결과물을 받아들 것이라고 확신한다. 그것은 독자적인 시야이고 인식일 것이다. 그 책이 존재함으로써 세상은 좀더 복잡해질 것이고 누군가는 그 복잡성 속에서 방향을 찾아 나갈 수 있을 것이다. 그녀의 책이 기대된다….

…<인간의 과정>에 대하여. 그녀의 책 제목이다. 우리에게 인간의 의미란 주어져 있는가. 스스로가 자신을 인간이도록 정의 내리고 행위함으로써만 인간이 되는가. 인간은 그 자체로 존엄한가. 우리가 한 명의 인간이 되어가는 과정은 어떠한가. …그

런 생각이 든다….

…사유에 지나치게 굴었다. 머릿속은 복잡해지고 그 복잡함은 개념을 입음으로써 세상은 더 복잡해졌다. 이런 삶, 내가 선택한. 하긴, 삶은 쉽지 않다. 자아를 인식하고 그러한 자아의 인도대로 앞으로 나아가는 모습 또한 늘 모호함 속에 들어있다. 무언가 분명한 것을 찾기 위해 이것저것 생각하고 책을 읽지만 가끔은 결국 중요한 무언가를 알 수 없다는 두려움에 사로잡힌다. 뭔가 분명한 지식이 필요하다. 좀더 정진해보겠다….

…내게 삶이 주어지고 또 어느 정도의 시간이 주어짐에 감사한다. 세상을 살아가고 무언가를 먹고 휴식을 취하는 시간들이 모두 감사하다. …그리고 그녀를 만나게 되어서 삶에 감사하다. 그녀에게 무언가 목적은 없지만 나는 그녀를 생각하기 시작했다. 솔직히 이는 아직 혼돈이다. 좀더 그녀를 지켜보아야겠다….

　올랜도 파르크는 그렇게까지 쓰고 '노트'를 덮었다. 그는 자신이 진짜 그녀에게 끝까지 가르치는 자로 남는 것을 원하는지 스스로에게 물어보았다. 때가 되면 고백해야 할 것을 알지만 그는 그녀 앞에 서면 머리가 하얗게 되었다.
　수요일 『철학과 자유』 수업에서 '인식'에 대해서 수업했다. 주제는 '자기 인식과 본질 인식'에 대해서였다. 인식은 존재함의 시작에서 시작되는 내면적 혁명이며 그러한 혁명은 자기 자신에 대해 자기 인식을 낳는다. 그러한 자기 인식을 바탕으로 매 순간 자기만의 본질 인식을 이룩한다. 자기 인식에서 시작해

본질 인식에까지 도달하는 것이다. 본질 인식은 자신에 대한 근본적인 도착 지점이자 앎의 지점이다. 본질 인식을 통해서 우리는 우리의 삶을 어떤 모습으로 살아내야 할지 비로소 알게 된다. 그렇게 우리는 인식적이다.

다시 토요일이 되었고 대학원 수업을 마치고 나오는 중에 학생 한 명이 올랜도 파르크에게로 뛰어왔다.

"토미 멜? 무슨 할 말이라도 있는가?"

"교수님, 무슨 일이 있으세요?"

"아니, 별일 없는데?"

"오늘 수업 시간에 본질 인식 나부랭이라고 하셨어요. 평소 인식과 본질에 진지한 분께서 그런 말씀을 하시다니, 좀 놀랐어요."

곰곰이 생각해보니 그렇게 말한 것도 같았다. 올랜도 파르크는 온실 속에서 삶의 풍파를 막으며 쌓아온 그의 인식이 과연 본질을 말할 수 있는지 순간 냉소적이 되어서였다.

"토미 멜, 잘 지적했어. 하지만 우리 철학하는 사람들은 모든 언어에 대해 사유하고 그것을 개념화하여 책으로 만드는 사람들이지. 본질에 대해 우리가 아는 건 책상머리에서 나누는 이야기들이 전부지. 그렇지. 책상머리 인식. 그것이 과연 본질을 설명하고 우리에게 하나의 유의미한 인식으로 닿을 수 있는지 방금의 수업에서 잠깐 냉소적이 된 거라네. 우리는 그릇을 닦는 것을 직업으로 해보지도 못했고, 공장에서 우리가 부품이 되어 일해보지도 못했네. 그렇게 자네들도 대학원 수업에 이르기까지 어떤 언어 조각이라도 진실함에서 끌어 올린 걸 배우기는 어려울 걸세."

토미 멜이 고개를 숙이고 올랜도 파르크는 터덜터덜 교수연구실로 돌아갔다. 식당에서 허드렛일을 하고 대학을 포기하면서도 자기 인식을 위해 두 눈을 반짝이던 이리나 몰도브는 분명 자기만의 언어로 자기 사유를 형성할 거라고 확신했다. 자신이 흔들린다고 느낀 올랜도 파르크는 퇴근해서 일찍 잠들었다.

　일요일이 되고 그는 식료품을 쇼핑하고 이리나 몰도브에게 주기 위해 작은 립스틱도 샀다. 그녀는 화장도 하지 않고 하얀 얼굴에 입술도 연한 핑크색이어서 약간 생기를 주는 색깔의 립스틱이 그녀에게 좋을 것 같았다. 사실, 립스틱 선물은 꽤 고민한 것이었다. 젊은 여자에게 립스틱을 사주는 나이 든 남자. 경우에 따라서는 별일 아니라고 할 수도 있겠지만 그는 많은 고민 끝에 립스틱을 샀다.

　월요일이 되고 그는 에소르로 차를 몰았다. 비든 카페에 들어서자 그녀가 어떤 젊은 남자와 함께 자리에 앉아 있었다. 가까이 가자, 그 젊은 남자는 그의 대학원 수업을 듣는 토미 멜이었다.

　"토미 멜 군?"

　"설명이 필요하겠지요. 우선 앉으세요, 교수님." 이리나 몰도브가 상기된 표정으로 말했다.

　"토미 멜은 고등학교 시절 교회에서 알게 된 선생님이에요. 그는 교회에서 고등부를 가르쳤어요. 철학을 전공했고 사유에 관해서 알려주었고 이것저것 수많은 철학책을 빌려주고 제 생각을 키워준 선생님이에요."

　사실 올랜도 파르크가 듣고 싶었던 말은 토미 멜이 그녀와 관련해서 개인적으로 어떤 분명한 관계인지에 대해서였다.

"교수님, 이리나에게 들었어요. 개인적으로 이리나에게 철학 수업을 해주고 계신다고. 제가 아는 한 교수님께서 대학을 그만 둔 학생에게 개인적으로 수업을 해준 적이 있나 궁금합니다."

토미 멜의 공격적인 말투와 건방진 태도로 알 수 있을진대 그는 이리나를 좋아하지만 이리나의 마음을 얻지 못한 정도라 고 판단할 수 있었다. 꽤 재미있는 전개, 라고 올랜도 파르크는 생각했다.

"토미 멜 군, 이리나와 나는 더 이상 공식적인 관계가 아닐 세. 물론, 이리나에게 고백하지 않았지만 나는 그녀를 사랑하고 있네. 사랑하는 여자의 지적인 성장을 위해서 노력하는 것이 자 네 눈에도 보일 테지?"

이리나 몰도브가 당황한 듯했지만, 그녀는 두 눈에 눈물을 글썽였다.

"나는 그녀를 사랑하네. 나의 이리나를."

"알겠습니다. 교수님. 저는 혹시나 교수님께서 그녀에 대해 다른 생각을 하시는가 싶어 오늘 이 자리에 참석했습니다. 교수 님이 이리나를 사랑하신다면 그러면 끝까지 지켜주시기를 바랍 니다."

"맹세하지."

이리나 몰도브는 계속 두 손으로 입을 가린 채 눈물을 흘리 고 있었다.

"자네에게 시험을 받은 것이로군."

"그런 셈입니다."

"고백할 시간을 번번이 놓쳐서일세. 지금에 이르러서야 솔직 히 자네가 경쟁 상대라면 나는 이리나를 자네에게 양보할 생각이 없네."

올랜도 파르크는 서류 가방에서 선물 포장을 한 상자를 이리나에게 건넸다.

"이건."

"여자에게 립스틱 선물은 처음 해보는 거라 예쁘게 하고 다녔으면 좋겠소."

토미 멜이 웃었다.

"노총각 올랜도 파르크 교수를 누가 데려가나 싶었더니 우리의 진지 여신 이리나 몰도브였네요."

토미 멜은 놀리듯 말했으나 올랜도 파르크는 그가 그렇게 말하든 말든 이 시간 이리나 몰도브의 마음이 궁금했다.

"고민하고 있었소. 고백하고 싶은데 언제 해야 할지. 이리나 몰도브 양, 나의 사유는 절반은 맞지만, 절반은 허상이오. 엄격한 판단과 설명을 거친 나의 절반의 사유가 몇몇 책으로 나타났을 뿐이고 그것으로 대학 강의 자격을 얻었을 뿐이오. 부탁하건대 나의 삶에 생생한 진리는 오직 그대뿐이라오. 나이 든 철학 교수가 자기 심장이 처음 흔들렸다는 말이오. 그러니 천천히 내게 오시오."

이리나 몰도브는 눈물을 쏟았고 토미 멜은 재미있는지 고개를 연신 끄덕였다.

"제가 들어본 것 중에 가장 멋있는 프러포즈로군요."

토미 멜이 고개를 계속 끄덕였다. "그럼 저는 한발 늦은 건가요? 네 생각은 어때? 이리나?"

이리나 몰도브는 계속 울고만 있었다.

"그럼, 저는 더 이상 이리나의 철학 선생이 되지 못하겠군요.

아쉽지만 그래도 이리나의 상대가 교수님이란 걸 알아서 그리 기분이 나쁘지는 않아요. 그럼, 저는 일어날게요."

토미 멜이 카페에서 나가버리고 올랜도 파르크는 얼떨결에 그의 마음을 이리나에게 고백하는 바람에 그녀가 당황했을 거라고 생각했다. 하지만 이리나는 당황한 기색보다는 놀라움과 감격의 표정인 것 같았다.

"너무 뜬금없이 고백해서 미안하오."

이리나는 올랜도의 말에 고개를 저었다.

"처음 뵈었을 때부터 좋아했어요."

"나를?"

"네."

그는 이리나와의 첫 만남을 되새겼다. 무언가에 사로잡힌 듯한 여학생이었고 자유와 존재의 문제에 대해 질문했었던. 그도 그들의 첫 만남에서 마음의 무언가가 흔들렸다고 생각했다.

"나도 처음부터였소."

"교수님도요?"

"하지만 교수와 학생의 신분으로서는 이 감정을 더는 진전시킬 수 없다고 판단했고, 그저 이리나 당신을 보면서 감정을 눌러왔던 것 같소. 하지만 우린 더 이상 교수와 학생 관계가 아니니 나는 오히려 잘 됐다고 생각하오. 더 이상 대학에서 학생으로 돌아가지 않아도 되오. 내가 이리나 당신을 이끌어줄 터이니."

"교수님, 감사합니다."

"올랜도라고 부르오. 그리고 지금부터 우리는 어떤 관계냐면…. 어떤 관계라고 하면 좋겠소?"

"저에게는 남자친구나 여자친구라고 하기엔 감정이 좀더 진지해요."

"나도 이 관계를 쉽게 생각하는 건 아니오. 조금 이른 감이 있지만, 그대도 나도 우리가 서로에 대해 사랑하고 있고, 또 이 만남이 진지하길 원하니 서로에게 약혼자라고 하면 될 듯하오."

"약혼요?"

"그렇소."

"너무 기쁩니다, 올랜도 교수님."

"교수라고 부르지 말고 올랜도라고 불러요."

"…"

이리나가 말이 없자 올랜도 파르크가 웃었다.

"이모님의 식당일은 그만두도록 해요. 나의 개인 조교가 되어 논문을 검토하는 등 그런 일을 하는 건 어떻소?"

"교수님의 개인 조교요?"

"그렇소."

"너무 기쁩니다. 일하겠습니다."

"대학에는 내가 말해둘 터이니 쉬는 시간에는 자신의 철학서를 쓸 여유도 있을 거요. 기대됩니다. 이리나, 당신의 첫 번째 철학 저서를."

이리나 몰도브는 눈물을 흘리고 있었다.

"다음 주 월요일부터 출근할 수 있게 해놓겠소. 그대가 머물 작은 집은 대학 근처에 얻어드리겠소. 그대의 마음이 준비되면 그때 내 집에서 살 수 있도록."

"감사합니다, 교수님."

"어차피 학교에서 보게 될 터이니, 교수님이라고 불러도 무방할 거 같소."

올랜도 파르크는 이리나 몰도브를 집에 데려다주고 그의 집
으로 돌아왔다. 잠시 생각하다가 시내에 나가서 반지를 샀다.

'첫 고백에 약혼이라….'

올랜도 파르크는 기분이 좋았다. 고민해왔던 모든 것이 해결
된 듯했다. 화요일에는 대학 근처에 그녀가 머물 집을 빌렸고
필요한 가구들을 사서 집에 배치했다. 스무 살의 여자에게 어울
리는 원피스와 청바지, 셔츠, 정장 등을 구매해서 옷장에 넣어
두었다. 수요일에 이리나가 자기가 살 집으로 왔다. 금요일에
어마어마한 양의 책을 가지고 왔으며 방 하나를 서재로 꾸몄다.
그녀는 또한 금요일 오후에 그녀가 일하게 될, 대학의 공간을
꾸몄다. 책상에 노트북을 놓았고 필요한 책을 가져다 책장에 꽂
았다.

토요일이 되었고 이리나는 그녀의 방에서 올랜도 파르크가
오기를 기다렸다. 올랜도 파르크는 2시에 대학원 수업이 있었
다.

올랜도 파르크가 노크하고 그녀의 방으로 들어왔다. 그는 조
그마한 화분을 하나 가지고 왔다.

"창가에 둬요. 원래 대학 공간이 밋밋해서 화분 하나면 분위
기를 바꾸는 데도 좋죠."

이리나 몰도브는 그 어느 때보다도 아름다웠다. 그녀가 아름
답다는 것을 이미 알고 있었지만, 고민이 사라진 그녀의 얼굴은
생기가 넘쳤다. 이 미소를 지켜줄 수 있어야겠다고 올랜도는 잠
시 생각했다.

"에펠 대학은 교수마다 개인 조교를 둘 수 있습니다. 저는

스스로 성장하고자 한 번도 개인 조교를 두지 않았습니다. 그리고 교수의 개인 조교의 자격은 교수가 정하기 때문에 개인 조교 자격에 대해서 신경 쓰지 말도록 해요. 나는 이리나가 많은 부분에서 나의 일을 잘 도와줄 것이라는 확신이 듭니다."

"벌써 소문이 난 것 같아요."

"알고 있습니다. 하지만 그대는 학생이 아닙니다. 그러니 신경 쓰지 말도록 해요. 그런 소문은 첫 철학서로 깨끗하게 잠재우도록 해요."

"네."

"이번 주말은 어떻게 보낼까요? 근사한 식사를 할까요? 영화를 보러 갈까요? 아니면 카페에서 이것저것 이야기를 할까요?"

"그러니까 우리는 서로에게 약혼자인가요?"

올랜도 파르크는 그녀가 두려워하고 있다고 느꼈다. 그것이 어떤 것이든 그 두려움을 확신으로 바꿔주는 건 그의 마음과 태도에 달렸다는 것도 알았다.

"약혼자입니다."

올랜도 파르크는 그녀의 손가락에 반지를 끼워주고 다른 하나의 반지도 그의 손에 꼈다.

"정말… 이로군요."

이리나는 그녀의 손가락에 끼워진 반지를 보고 눈물을 터뜨렸다. 올랜도 파르크는 아이처럼 훌쩍이는 이리나 몰도브의 얼굴을 그의 어깨에 묻고는 그녀의 등을 토닥였다. 그녀 얼굴의 열과 흐느낌이 그의 몸에 고스란히 전해졌다.

'이것이 진실이 아니면 무엇이 진실일까? 내가 더 많이 사랑

한다. 그것으로 됐다.'

"공원에서 이것저것 이야기하며 걷고 싶어요. 그리고 저녁에 카페에 가서 쉬었으면 좋겠어요."

이리나 몰도브가 그녀의 고개를 들면서 말했다. 그의 품에 안겨 있는 열기에 둘러싸인 그녀. 올랜도 파르크는 그녀에게 입을 맞추었다. 이리나가 두 눈을 감았다.

그들은 올랜도의 차를 타고 샘스타인 공원으로 갔다. 그곳은 장 리본 시(市)에서 조성한 이 지방에서 가장 넓은 공원이었다. 입구는 은행나무로 조성되어 있고, 공원 내부는 느티나무 길이 주를 이루었다. 길을 걸으면 조형물과 함께 오솔길이 있기도 했다. 아침저녁으로 많은 사람들이 찾는 곳이었지만 공원이 워낙 커서 조용히 산책하거나 산책하며 이야기하기에 좋았다.

"철학자가 되고 싶었나요?" 산책을 시작하며 올랜도 파르크가 물었다.

"아니요. 이것저것 많은 것을 알고 싶었어요. 철학은 그러니까 철학함은 그 과정에서 필요한 사유의 힘을 얻기 위해서 공부했어요."

"그랬군요. 하지만 내가 보기에 이리나 양은 좋은 철학자가 될 수 있을 것으로 보입니다."

"그런가요? 사실 <인간의 과정>에 착수했을 때부터 이미 그 모든 건 내 안에 있었어요. 독자적인 철학서를 꿈꾸고 있어요. 인간의 과정 - 인간이 스스로를 만들어가는 과정 - 은 인간의 생의 목표이자 지향점입니다. 그것을 쓰고 있습니다."

"그 목표에 내가 간섭하지 않을 테니, 자신만의 독자적인 시야로 완성해보도록 해요."

"감사합니다, 교수님."

그들은 좀더 사소한 이야기를 주고받으며 공원을 한 시간가량 산책하고 공원 앞 카페로 왔다. 카페에서 그들은 따뜻한 라떼를 마셨고 그들이 서로를 바라보거나 이야기하는 모습은 온전히 연인의 모습이었다.

"월요일마다 교수님의 강의는 계속 듣고 싶어요."

"그렇게 합시다."

토요일 저녁이 지나고 이리나 몰도브는 일요일에 <인간의 과정>을 저술해야 해서 그들은 일요일에 만나지 않았다. 월요일이 되고 올랜도 파르크 교수가 이리나에게 강의를 하기 위해서 이리나의 방을 찾았다.

"교수님, 오셨어요?"

"어제, 보고 싶어서 혼났지만 참았네."

이리나가 방긋 웃고는 올랜도에게 안겼다. 그들은 잠시 서로의 온기를 느끼고는 자리에 앉았다.

"오늘은 어떤 내용인가요?"

"자네, 프로세스에 대해 알고 있나?"

"굉장히 넓은 범위라는 건 알고 있어요. 프로세스가 스펙트럼을 입는 것도."

"좋았어. 프로세스는 인간이 정의 내린 자기 삶을 지속적으로 연결하는 인식일세. 하나의 프로세스가 끝나면 다시 새로운 프로세스에 이르는 일을 지속하지. 프로세스 커넥션으로 인간의 삶이 이루어지고 인간은 매 순간 자기 목표를 하나의 프로세스에 담아서 결과를 받아들게 되지."

"아, 굉장히 뭐랄까 영감이 됩니다."

"그렇지?"

"네. 인간에게 프로세스 커넥션이 존재하고 인간은 자기 앞에 놓인 일의 프로세스에 집중하다 보면 그 계속된 프로세스가 결국 자기 삶을 완성하게 하는 것 같아요."

"자네에게 프로세스란 어떤 의미지?"

"매 순간 삶을 인식하고 싶어요. 본질이나 존재적 법칙이나 살아가는 중요한 방식 같은 것들로 저를 채우고 싶어요. 그래서 제겐 프로세스가 사유의 모습이 발달하는 과정으로 나타날 수 있어요. 저는 계속 철학서를 쓰겠습니다. 그렇게 인식적으로 성장하겠고 그 모든 성장이 프로세스이겠지요."

"좋아. 내겐 프로세스가 인식자의 길일세. 그리고 내 삶에 또 중요한 누군가가 바로 자네이고 말이지. 연인이자 철학적 동지와도 같은 걸세."

"저에게도 교수님이 그러해요."

그들은 두 손을 잡았다. 그리고 서로를 응시했다. 부드러운 눈빛이 오갔다.

그 학기 동안 올랜도 파르크 교수는 3편의 논문을 더 썼고 이리나 몰도브는 올랜도 파르크 교수의 논문을 교정했고, 자잘한 심부름을 했으며, 올랜도 파르크 교수가 지시하는 책을 구매하여 읽고 요약했다.

중간고사를 치르고 시간이 흘러 기말고사도 치러냈다. 그 기간 동안 이리나는 200페이지의 『인간의 과정』을 써냈고 이 원고를 읽은 올랜도 파르크는 놀라움을 금치 못했다. 겨우 스무 살에 자기만의 철학서를 써냈다니. 올랜도 파르크 교수는 철학과의 다른 교수들에게 이리나의 원고를 보여주었다.

"오히려 학교에 다닌 것보다 자네의 개인적 지도가 한 명의 탁월한 철학자를 배출했네."

동료 철학 교수인 카지말 이튼 교수의 말이었다. 가을이 오기 전에 『인간의 과정』은 올랜도 파르크 교수가 중심이 되어 출간되었다. 그 책을 통해서 이리나 몰도브는 철학에 관한 그녀의 경력을 인정받았고 대학에서 그녀가 일하는 것에 아무도 뭐라고 하지 못했다.

이리나 몰도브는 『인간의 과정』을 쓰고 나서 새로운 과제에 몰두했고 그렇게 가을이 되었다.

2부) 인식의 길

그들은 그해 가을에 결혼했다.

이리나는 결혼 후에도 올랜도 파르크 교수의 개인 조교로 일하면서 매일의 인식에 몰두했다.

'인식의 길이 시작되었어. 이 모든 조건에 감사해.'

달라진 게 있다면 이리나는 올랜도 파르크 교수의 강의를 개인적으로 듣는 대신 대학원생들의 스터디 모임에 참여하게 되었다. 그녀로서는 개인 강의를 듣는 것보다 훨씬 의미 있는 일이었다. 대학원생들은 그녀가 학사 학위가 없다고 해도 상관하지 않았다. 그들은 그녀의 책을 읽었고 그녀를 인정했다.

'여자가 인식의 길에 자기를 둘 때 그녀는 자신의 성적 한계를 뚫어버리고 존재가 된다.'

이리나는 토요일 저녁 대학원생들의 독서 모임에 참가하러 가면서 그렇게 생각했다.

모임에 가면서 토미 멜을 만났다.

"결혼식 잘 봤어." 그가 말했다.

"고마워요, 선생님." 이리나는 고개를 끄덕였다.

"이리저리 여러 남자를 만나며 경험하는 것도 좋겠지만 어쩌면 빨리 반려자를 찾아 생활을 안정 속에 두고 인생의 과제에 몰두하는 것도 괜찮은 방법이야." 토미 멜이 다시 말했다.

"그렇게 생각하세요?"

"응."

그들은 대학의 어느 강의실에 들어갔고 이미 모인 네 명의 대학원생들을 비롯해서 총 여섯 명이 모이자 그들은 그들이 과제로 써온 종이를 서로 나누어 가졌다.

토미 멜은 진행을 맡았다.

"이지스 포렐은 우리가 존재하는 것의 이유는 우리가 삶에 대해 인식하고 그것에 의미를 매기는 만큼 존재한다고 썼네요. 이에 대해서 이야기를 나눠봅시다. 프라이 데콘?"

프라이 데콘이 말했다. "우리는 사유하는 존재고 그러한 사유는 존재 의미를 향해 뻗어 있습니다. 우리는 삶을 인식하고 그 인식이 의미로 확장될 때 자기 삶과 자기 의미에 대해 비로소 다가서게 됩니다."

"이리나 파르크 부인?" 토미 멜이 말했다.

"삶은 인식을 요구하고 그렇게 인식된 삶은 우리에게 유의미한 일을 할 것을 지시합니다. 판단이 개입되는 것이지요. 자신에게 의미 있는 몇몇 일을 할 용기를 붙들고 그 일을 해냅니다. 그럴 때 우리 삶은 인식에 대해 정직해지는 것이죠."

토미 멜이 미소를 지었다. "그러면 프라이 데콘이 쓴 내용을 요약해보죠. 궁극의 미소란 삶의 매 분기점에서 자신이 스스로의 행동에 만족하는 것으로서 우리는 우리가 생각하기에 가치 있는 일을 하면서 살아야 하고 그러한 살아감의 순간들을 온전히 자기 삶으로 채워야 합니다. 이에 대해 이야기를 나눠봅시다. 빌러 오튼?"

빌러 오튼이 말했다. "매 순간을 궁극의 미소를 위해 산다면 성실하게 살 수 있을 것이고 자기에게 만족하는 삶을 살 수 있을 거라 생각합니다."

"세미 햄프턴?" 토미 멜이 말했다.

"궁극의 미소를 다시 해석해보면 자기 존재의 목적을 발견하고 이를 이룬 사람의 기쁨이라고 생각합니다. 어떤 일을 할 때 궁극의 미소를 지을 수 있을지는 개인마다 다르다고 생각합니다."

"좋습니다. 우리는 시선을 나눔으로써 우리가 미처 생각하지 못한 인식을 나눌 수 있고 그렇게 우리는 편협에서 벗어나 보다 균형적이고 창의적인 생각을 나눌 수 있게 됩니다. 이제 이리나 파르크 부인?"

"저의 오늘 단상은 목적의 삶과 과정의 삶입니다. 하나의 이루고자 하는 목적은 그 과정이 진실되고 효율적일 때 하나의 유의미를 생에 허락합니다. 즉, 목적의 삶과 과정의 삶은 동일합니다. 하나의 목적을 이루기 위해 그 과정이 필요하고 그 과정은 목적을 낳기 때문입니다. 저는 하나의 목적을 세우면 그 과정을 거쳐 결과를 확인합니다. 과정이 없는 목적 바라기는 허상이고 목적이 없는 과정은 시간 낭비입니다. 삶에서 바라는 것이 있고 또 그 바라는 것을 이루기 위해 과정을 겪는 것은 반드시 필요한 일입니다."

"이리나 파르크 부인, 어떤 일을 할 때 있어서 과정의 중요성을 좀더 말해주십시오." 토미 멜이 요청했다.

"삶은 자기가 세운 목적을 이루는 것으로 이루어져 있죠. 그러한 목적은 시간과 노력, 공부와 인식을 쏟아부어서 만들어내는 결과입니다. 모든 어려운 목적과 결과는 그것이 이루어져 가는 과정을 따라서 형성됩니다. 즉, 과정을 거쳐서 무언가가 이루어집니다. 무언가를 이루는 과정이 없다면 삶의 목표라고 할 수도 없겠지요."

"잘 들었습니다. 이에 대해 이지스 포렐이 발언을 해볼까요?"

"인내가 곧 과정인 것 같습니다. 쉽게 이루어질 목표가 아니라는 걸 잘 압니다. 시간을 잘 배분하고, 공부하며, 중요한 것은 자신답게 그렇게 일을 과정적으로 해나가다 보면 좋은 결과가 있을 것 같습니다.”

이지스 포렐의 말에 다들 생각에 잠겼다. 그들은 조금 더 편안한 분위기에서 이것저것에 대해 이야기를 나누었다. 한 시간이 지나고 그들은 헤어졌으며 이리나 파르크 부인은 올랜도 파르크 교수의 교수연구실로 갔다.

노크하고 들어갔고 올랜도 파르크는 그녀와 가볍게 포옹한 뒤 그들은 함께 퇴근했다.

일요일이 되었고 그들은 영화를 보고 저녁에는 공원에서 산책했다.

“무언가 새로운 것에 몰두하던데, 정확하게 그것은 무엇이지요?” 올랜도 파르크가 이리나에게 물었다.

“여성이 자신을 인식에 놓는 일은 자신의 성별이 지닌 한계를 넘어서서 보다 온전히 자기만의 인간이 된다는 것을 생각하고 있었어요. 여성 철학자는 과연 어떻게 탄생하고 또 어떻게 앞으로 나아가는 것에 대해서요.”

“좋은 과제입니다. 그러한 고민 속에서 다음 철학서가 탄생되겠지요?”

“아마 그럴 것 같아요.”

그들은 집으로 돌아와서 저녁 식사를 차려서 함께 먹고는 이리나는 자신의 서재로 들어갔다. 올랜도 파르크도 오랜만에 서재에서 ‘노트’를 썼다. 올랜도 파르크의 집에는 서재가 두 개 있었다. 결혼하면서 이리나가 전에 살던 집에서 가져온 책들을 빈방에 서재로 꾸며놓았다.

…세상에서 가장 귀한 건 나를 이해하고 나의 발전을 응원하는 사람이 바로 내 옆에 있다는 사실이다. 내가 앞으로 나아갈수록 그녀도 그러하다. 우리는 서로를 이해하고 서로의 길을 이해하고 있다. 우리는 동일한 종류의 인간이고, 그녀에게서 발견하는 철학적 참신함에서 나는 영감을 얻는다….

…『의미론』과 관련하여 책을 쓰고자 한다. 인간은 자신이 가치 있다고 생각하는 것을 해낸다. 즉, 자기 의미화가 이루어져야 인간은 그의 행동을 해나간다. 그러한 의미는 공적으로 충분히 논의될 수 있으며 개인적인 방식으로도 충분히 사유될 수 있다. 의미론에 관한 서적은 드물다….

…철학을 함에 있어서 더 이상 성별은 문제가 되지 않는다. 자기와 자기 삶에 대해 진지하고 또 모든 것에 대해 다시 생각해 보고자 하는 열의가 자기 삶을 형성한다. 철학함은 자기 삶을 세우기 위해 한 번쯤은 깊게 앓아야 할 열병이다….

…신뢰와 믿음이 있고 서로의 일에 대해 이해하는 관계는 축복받은 것이다. 서로의 삶을 소유하면서도 서로의 삶을 응원한다. 감정을 공유하고 그로 인해 마음이 쉴 곳을 얻는다. 손을 잡을 수 있다는 것, 서로의 어깨에 기댈 수 있다는 것, 격정적인 키스를 나누는 것 - 그 모든 것에 감사하다….

어느새 이리나가 올랜도 파르크의 서재로 와서 그가 뭘 적는

지 보고 있었다.

"다 보고 있었소?"

"아뇨, 약간만요. 관계에 대해 쓰셨군요."

"그렇소."

"당신은 나를 신뢰하나요?" 이리나가 물었다.

"사랑과 동료의 양 면에서 신뢰하오."

"저도 당신을 신뢰해요. 고백해주셨고 이렇게 책임져주셨으니까요."

"책임이라. 아니오. 사랑하기 때문에 곁에 있고 싶었고 또한 우리의 사랑이 공적인 관계에서 인정받는 것이길 원했소."

"그것이 책임있는 사랑이죠. 성숙한 어른의."

그렇게 말하고 이리나는 올랜도의 뺨에 키스하고는 방에서 나갔다.

월요일이 되었고 이리나와 올랜도는 대학으로 출근했다. 이리나는 올랜도 파르크 교수의 조수 일을 하면서 새로운 책을 쓰기 시작했다. 그 책의 제목은 <여성과 인식>이었다. 여성이 자기 삶의 어느 순간 자기와 자기 과제를 인식하고 나아가는 것의 중요성에 대한 책이었다.

점심시간에 이리나와 올랜도는 교수 식당에서 함께 식사했고 오후 시간에 올랜도는 논문을 쓸 예정이었다. 이리나는 오후 시간에 쓰고 있는 책을 쓸 예정이었다.

"자기 과제에 불타는 모습 보기 좋습니다." 올랜도가 말했다.

"모두 올랜도 파르크 교수님 덕입니다." 이리나가 말했다.

그들은 오후에 각자의 과제에 몰두하고는 저녁이 되어 함께 퇴근했다. 올랜도 파르크 교수가 이리나에게 『지성인의 서재』

강의에 쓸 만한 원고를 부탁했다. 이리나는 저녁 식사를 하고 그녀의 서재에 들어가서 원고를 작성했다.

…자기 존재에 대해 명확한 시선이 있고 자기 삶에 대해 주인 의식을 가질 필요가 있다. 단순히 책을 많이 읽는 것이 지성인 의 조건은 아니다. 책에서 말하는 바를 자기 시선으로 사유할 줄 알고 또 책들로부터 자기 과제를 사유해낼 수 있어야 한다. 그리고 그 사유의 끝에서 자기만의 저서를 쓸 수 있다면 보다 좋다. 한평생 독서와 사유, 인식으로 시간을 보내고 그는 지성 인으로서 살아간다. 인식은 지성인이 선택한 삶의 형식으로서 평생 함께할 내면적 자세이다. 즉, 지성인은 인식자이며 생을 살아가면서 계속 자기 인식을 경신한다. 지성인의 서재는 그가 읽은 책들이 그의 인식과 만나 풍요로워지는 정원이다. 그는 자 기만의 서재를 통해서 방향 있는 지성을 향유하게 된다. 수많은 책을 통해서 자기 삶에 대한 시선을 갖추고 또 서재에서의 사 유를 통해서 매 순간 자신을 완성한다. 지성인은 자기 지성을 갖출 때 비로소 빛난다. 다른 사람의 생각이나 시선이 아닌 자 기만의 시선과 지성을 갖출 때 그는 완성된 존재로서 비로소 자유롭다. 지성인은 자기 인식을 내면화하고 자기 존재를 세워 간다. 그는 온전히 자유롭다….

이리나 파르크는 '온전히 자유롭다' 그 부분을 지우고 이렇 게 다시 썼다.

'그는 비로소 자기 자신이 된다.'

이리나 파르크가 올랜도에게 원고를 보여주었을 때 올랜도 파르크는 고개를 끄덕였다.

"수업할 때 도움이 될 겁니다."

"도움이 되었으면 좋겠어요." 이리나 파르크는 그렇게 말하고 1층의 응접실로 내려갔다.

올랜도 파르크는 다음 날 수업 준비로 좀더 서재에 있었다. 이리나 파르크는 과일을 깎아서 올랜도 파르크의 서재에 가져다주었고 그를 방해하지 않았다.

이리나 파르크는 먼저 잠자리에 들었다. 다음 날 아침이 되고 그들은 대학으로 출근했다. 이리나는 그녀가 해야 할 행정적 일들을 처리하고 오후에는 책을 집필할 시간이 있었다.

'삶에 있어서 행복과 목표는 가치 있는 일을 정하고 그 일에 몰두하는 것이다. 나는 인식자의 길을 선택했고 다행히 그 일은 내 가치 속에 속한 일이다.'

이리나 파르크는 그렇게 생각하고는 <여성과 인식>을 계속해서 집필했다. 퇴근할 때까지, 그녀는 올랜도 파르크가 그녀의 방에 올 때까지 집중해서 책을 썼다.

"오늘은 일이 많은가 보군요. 퇴근합시다."

이리나 파르크는 서둘러 일을 마무리하고는 올랜도 파르크와 함께 차를 타고 집으로 향했다. 집으로 가는 길에 그들은 마트에 들러 소고기와 연어, 양파, 소스, 커피와 우유를 샀다.

이리나 파르크와 올랜도 파르크는 함께 저녁을 차렸고 식사를 했다.

"요즘 강의는 어떤가요? 저같이 질문이 많은 학생들에게 시달리시죠?"

"학생이 질문이 많다는 건 그만큼 성장할 여지가 많은 경우지요. 그대처럼. 학생들의 질문에 대해 답하곤 하는 재미도 나름 재미이지요."

"아, 제가 질문이 좀 많았죠? 죄송했어요."

"아니오. 그 질문에 답하다가 그대를 사랑하게 되었으니."

이리나 파르크가 미소를 지었다.

"저는 언제부터 교수님을 사랑하기 시작했을까요?"

"대답해주실 거요?"

"아니요. 훗."

"궁금한데도요?"

"아, 제 고등학교 시절 교회 학교 선생님이 지금 에펠 대학교 철학과 석사과정에 있는 토미 멜이었어요. 교수님도 익히 알고 있는. 그 토미 멜이 교수님의 저서 『실존과 윤리』를 가져다 읽어보라고 했어요. 그때 그 책을 모두 읽고 나서 아마, 그때부터 교수님을 동경하기 시작했던 것 같아요."

"이런, 나보다 빠르군."

"처음에는 동경하다가 그리고 직접 뵈었을 때 심장이 뛰었어요."

"그래서 그 뜬금없는 나의 고백을 거절하지 않은 거로군요."

"네. 그리고 그 고백 뒤부터 정말로 사랑하기 시작했어요."

"토미 멜에게 고맙다고 해야겠군."

그들은 천천히 식사를 끝내고 각자 서재로 들어갔다. 이리나는 쓰고 있는 책을 위해 참고문헌을 찾아 발췌해서 다른 노트에 적어 두었다.

'근거 있는 설명이 하나의 주장을 생생하게 만들지.'

이리나 파르크는 책을 조금 더 쓰고는 피곤이 몰려와서 침실로 가서 먼저 잠들었다.

다음 날은 올랜도 파르크가 2박 3일 일정으로 로코 지방에 있는 레길런 대학으로 '철학자 대회' 참석차 출장을 갔다. 그동안 이리나 파르크는 따로 할 일이 없어서 책을 집필하는 데 집중했다. 금요일 오후에 올랜도 파르크가 에펠 대학으로 돌아와서 이리나 파르크에게 갔다.

"잘 다녀오셨어요? 새로운 비전이나 과제를 제시받은 건 있고요?" 이리나 파르크가 커피를 내주며 올랜도에게 말했다.

"이리나 파르크는 왜 데리고 오지 않았냐며 동료 교수들이 그렇게 말했소."

"농담이시죠?"

"아니요. 다음에는 같이 갑시다. 이만 퇴근할까요?"

그들은 함께 퇴근했고 올랜도 파르크는 이번 철학자 대회에서 그가 맡은 발표의 내용에 대해서 말해주었고 이리나는 철학자 대회에 그녀가 설 수 있게 된다면 좋을 것이라고 말했다. 하지만 이리나는 자신이 철학자로서 인정받으려면 아직 더 많은 저술이 필요하다고 생각했다.

"좀 더 과제에 불타올라야 할 것 같아요." 이리나가 말했다.

"지금도 충분히 잘하고 있다오." 올랜도가 말했다.

그들은 집으로 돌아왔고, 올랜도는 샤워를 하고 그대로 잠들어버렸다. 이리나는 내일 대학원생들과의 스터디를 위해 종이에 생각을 써 내려가기 시작했다.

…인식의 문제는 곧 존재의 문제다. 내가 어떻게 존재하고 있는가는 내가 어떻게 그리고 무엇을 인식하는가와 연결되어 있

다. 나는 내 시선에 닿는 것을 인식할 것이고 그러한 인식을 통하여 나의 존재를 성립시킬 것이다. 때로 존재론과 인식론과 가치론은 같다. 그들은 서로 연결되어 있으며 서로의 근거가 된다. 인식론을 통하여 존재론이 성립하고, 그러한 존재론은 가치론의 근거가 된다. 즉, 철학하기는 인식하고 이유를 대며 가치를 선택함이다. 그럼으로써 철학하기는 모든 일의 근거가 되며 사유의 훈련을 통해서 인식적으로 앞으로 나아가는 힘을 얻는다. 전진하는 힘은 철학하기를 통해서 길러지며 그것은 문제 해결에 대해서다. 철학하기 혹은 철학함은 우리가 독자적인 사유에 관심이 있는 한 계속되며 그것은 삶의 내용을 수립하는 가장 기초에 존재한다….

이리나 파르크는 그렇게 쓰고는 잠들었다. 토요일이었고 올랜도 파르크는 대학원생 강의가 있었고 이리나 파르크는 대학원생들의 스터디 모임이 있었다.

대학원생들의 스터디 모임 시간이 되고 이리나 파르크는 강의실을 찾아갔다. 모두 모여 있었다.

토미 멜이 말했다. "오늘 발표와 토론의 주제는 지난번에 알려주었듯이 '철학함'이라는 사유와 행동의 언어입니다. 모두 가져온 종이를 나누어 가집시다."

각자는 서로가 쓴 종이를 나누어 가졌다. 그들은 잠시 서로의 시선을 읽어보았다.

"이지스 포렐의 철학함은 어떤 것이죠?" 토미 멜이 말했다.

"저에게 철학함은 매 순간 본질을 읽어내는 작업입니다. 가장 중요한 것을 읽어내는 작업이고 다른 것은 사소한 것으로 여기는 일입니다. 그렇게 함으로써 제 삶이 본질로 충만하게 되는 것입니다."

"좋아요. 프라이 데콘?"

"철학함은 보다 근거 있는 지식을 간추려내기 위한 작업입니다. 보다 객관적이고 보다 공적인 의미에서 철학함을 의미합니다. 진리를 찾는 작업이자 그 작업에 자신을 굴복시키는 일입니다." 프라이 데콘이 말했다.

"좋아요. 빌러 오튼?"

"제게 있어 철학함은 자아를 찾는 여정입니다. 나 자신에게 깊은 흥미가 있으며 그러한 나 자신이 변화하는 모습들을 항상 인식하는 일입니다. 철학함은 자아를 찾아서 가는 여정이고 그렇게 저는 저의 자아를 인식하고 그러한 인식으로 무언가를 할 것입니다."

"좋습니다. 세미 햄프턴?"

"제게 철학함은 의미와 가치를 찾기 위해 거치는 과정입니다. 어떤 삶이 더 의미 있으며 어떤 가치를 실현해야 하는지에 대해 사유하는 과정입니다. 그렇게 해서 찾은 의미와 가치대로 제 삶을 꾸려가는 것 - 그것이 목적입니다."

"좋아요. 이리나 파르크 부인?"

"저에게 있어 철학함은 독자적인 사유를 형성하는 일입니다. 세상의 많은 일들에 대해 자기 시선을 갖추고 또 그러한 일들을 해결하는 힘이 철학함입니다. 저는 철학함이라는 자세를 통해서 저만의 시선을 형성하고 또 문제를 해결할 수 있습니다."

"네, 좋아요. 모두의 시선을 알아보았습니다. 요약하자면, 철학함은 각자의 정의를 내릴 수 있는 주제입니다. 각자의 시선과 더불어 서로의 시선을 나누는 것도 의미가 있습니다. 제게 있어서 철학함이란 사유에 대한 진솔한 자세인 것 같습니다. 사유에 정직함으로 다가서고 독자적인 무언가를 얻게 되죠. 철학함이란 삶의 방식으로서 중요한 모습입니다. 철학함을 삶의 중요한 자세로 여기고 앞으로 나아갑시다. 오늘은 이만할까요?"

토미 멜이 그렇게 말하고 모인 이들은 나누어 가진 종이를 들고 헤어졌다.

"잠깐만요. 이리나 파르크 부인?"

강의실 앞에서 토미 멜이 이리나를 불렀다.

"잘 지내고 있나요?" 토미 멜이 말했다.

"물론이죠. 저는 잘 지내고 있답니다. 올랜도 파르크 교수님은 다정하세요."

"그렇다면 다행입니다. 지금 쓰고 계신 책은 어떤 내용인가요?"

"여성과 인식에 대한 사유예요."

"그 책이 나오면 시내의 서점에서 북토크를 진행해도 될까요?"

"어머, 북토크요?"

"네. 제가 일하고 있는 서점이에요."

"서점에서 일하기 시작하셨나요?"

"올 가을부터 일하기 시작했어요. 한 달이 채 안 되었어요."

"네, 좋습니다. 책을 잘 완성하도록 노력할게요."

"그럼, 수락한 겁니다."

토미 멜이 미소를 짓고 가버리고 이리나 파르크는 어깨를 으쓱하고는 그녀의 방으로 갔다. 곧 올랜도 파르크가 그녀의 방에

왔고 그들은 함께 퇴근했다.

　다음 날은 일요일이었다. 그들은 오전까지 푹 늦잠을 자고서는 오후에 시내에 가서 함께 영화를 보았다. 《삶, 그리고 절망과 심연》이라는 영화였다. 영화를 보고 나서 그들은 시내의 레스토랑으로 갔다.

　"영화는 어땠지요?"

　"여주인공이 '완전히 절망하지만 그 속에 진정한 삶이 살아 있는 것 같다'고 했을 때 소름 돋을 정도로 제 생각이랑 같았어요. 파르크 교수님은요?"

　"나는 남주인공이 '내 존재는 그대를 만남으로 인해 깨어나게 되었소'라고 할 때 나도 소름 돋을 정도로 긍정했지요."

　"좋은 영화였어요. 영상미와 음악, 그리고 본질적인 대화가 그러했어요." 이리나 파르크가 물을 마시며 말했다.

　그들은 스테이크와 호밀빵, 그리고 파스타를 먹고는 밖으로 나왔다.

　"저녁 공기가 좋군요. 내일부터는 다시 열심히 달려야겠고요. 집필하는 데 있어서 힘든 점은 없나요?" 파르크 교수가 물었다.

　"첫 작품만큼 어려운 점도 많아요. 하지만 가만히 앉아서 인내하는 것이 정답인 것 같아요. 그러다 보면 어느새 하나의 인식이 책을 입게 되는 것 같아요."

　"그러한 인내가 정답일 수 있는 것은 이미 그대에게 내재된 철학적 진지함 때문일 거요."

　이리나 파르크는 활짝 웃고는 거리에서 파르크 교수를 껴안았다.

"잠깐만 이러고 있어 줘요. 당신이 내 사람인 걸 느끼고 싶어요."

파르크 교수도 이리나를 꽉 껴안았다. 그들은 잠시 그렇게 포옹하고는 차를 타고 집으로 돌아왔다.

월요일이 되었고 그들은 대학으로 함께 출근했다. 이리나 파르크는 오전에는 올랜도 파르크 교수의 논문을 교정했고 오후에는 자유 시간이 있었다. 그 시간에 <여성과 인식>을 썼다.

존재와 존재 가치의 범위

여성이 스스로를 인식의 주체로 생각하고 자기 과제를 해나갈 때 그녀는 존재 가치를 갖는다. 자기 존재 가치는 스스로가 세우는 것이며 특히 여성의 경우 그런 가치 세움은 그녀가 스스로 자기 존재를 인식적으로 세우는 주체로서 중요하다. 여성은 자기 존재가 되고 그러한 존재적 가치는 여성이 스스로를 그렇게 평가할 때 확장된다.

여성과 약자에 대해 존재 가치를 논할 수 있다. 여성은 스스로를 인식의 주체로 생각하고 자기 과제를 해나간다. 약자는 스스로를 지키기 위해 자기가 할 일을 생각한다. 자기를 포기하지 않기이다. 그리고 비로소 여성과 약자는 자기 존재가 되고 그 너머를 향해 자기 존재 가치를 확장한다.

자기가 정의 내린 자기 일을 하기 위해 노력한다. 자기가 인식한 일을 해나간다. 비로소 여성을 비롯한 존재는 존재 가치 확장을 지속적으로 해나가게 되고 그 과정에서 자기 가치를 지속적으로 경신하며 계속해서 새로운 일을 자기 과제로 두게 된다. 그럼으로써 여성을 비롯한 존재는 존재 가치의 확장 속에 자기를 두게 된다.

이리나 파르크는 그렇게 쓰고는 커피를 내려 창가에 섰다. 대학생들이 캠퍼스에서 삼삼오오 오가고 있었다.

'나의 길을 빨리 찾을 수 있었어.'

그녀는 얼마 전까지 대학생이었지만 지금은 올랜도 파르크 교수의 개인 조교이자 자기만의 철학서도 한 권 낸 새내기 철학자였다. 그녀의 운명이 그녀를 그렇게 이끌었다. 운명, 그것은 준비된 자에게만 손을 내밀지, 이리나는 그렇게 생각했다.

저녁이 되기 전 그녀는 올랜도 파르크 교수의 논문을 한 번 더 교정하고 교정한 논문을 올랜도 파르크 교수의 이메일로 보냈다. 들어오는 문자 메시지가 경쾌했다.

저녁이 되고 그들은 함께 퇴근했다. 저녁 식사를 하면서 이것저것 이야기를 나누었다.

"토미 멜의 졸업 논문이 좋더군요." 올랜도가 말했다.

"그분은 고등학교 때 저의 교회 철학 선생님이셨어요." 이리나가 말했다.

"학부 때도 열성적이었고 상당한 학생이었지요."

"지금 서점에서 일하기 시작했다고 했어요. 제 새 책이 나오면 거기에서 북토크를 하기로 약속했어요."

"좋은 경험이 될 거요."

그들은 서로의 서재에서 한두 시간가량 작업했고 함께 잠들었다.

***

그해 12월, 종강과 동시에 이리나 파르크의 『여성과 인식』
이 출간되었고 이리나는 토미 멜이 일하는 서점에서 북토크를
하게 되었다. 12명 남짓한 사람들 앞에서 이리나는 '인식'이라
는 단어를 화이트보드에 커다랗게 썼다.

"저를 설레게 했던 유일한 단어입니다. 여러분께는 '인식'이
라는 단어가 어떤 의미인지요?"

"먼저 '인식'이 작가님에게는 어떠한 의미인지 듣고 싶습니
다."

어느 참가자가 말했다.

"자기 인식은 어느 순간 자기 존재에의 자각으로 시작됩니
다. 그러한 시작에서 자기가 하고자 하는 바를 제대로 판단하고
진행하고 이끌어나가는 힘이 인식에 있습니다. 인식은 자기와
자기를 둘러싼 모든 것을 보는 힘이자 그것을 어떤 유의미한
것으로 만드는 힘입니다. 인식은 곧 자기가 하고자 하는 모든
것을 이루는 과정입니다." 이리나 파르크가 말했다.

"여성에게 있어 인식이란 어떤 의미를 가지나요?" 다른 참가
자가 질문했다.

"그것이 이 책의 주제이지요. 여성으로서 순종하는 전통의
가치관에 반대해서 여성도 스스로를 자기 존재로 세워가기로
시작한 이상 여성도 자기 인식을 갖고 자기 목적을 세워 앞으
로 나아갈 수 있지요. 즉, 여성에게 인식은 자기 존재의 시작이
자 자기 삶을 꾸려나가는 원동력이지요." 이리나 파르크가 대답
했다.

"그럼 자기 과제를 해나가는 데 있어서 여성과 남성은 차이

가 없겠네요?" 다시 그 참가자가 질문했다.

"여자든 남자든 존재로서 자기 삶을 자기 인식하에 시작할 때 성별의 차이는 의미가 없습니다. 그저 자신의 삶을 살아가는 것만이 중요할 뿐이지요."

잠시 참가자들이 박수했다.

"또 질문할 것이 있습니까?" 이리나 파르크가 말했다.

"지속적인 인식의 과정은 어떠한 것입니까?" 어느 참가자의 질문이었다.

"자기 존재의 자각으로 자기 인식을 시작한 후, 숙제는 삶의 과정에서 지속적인 인식을 해내고 또 그렇게 해냄으로써 매 순간 자기 삶을 완성해내는 일입니다. 인식은 자기 발견의 한 번으로 그치지 않고 다시 새로운 것을 인식함을 숙제로 냅니다. 우리 삶은 그래서 늘 새로운 인식으로 채워지는 겁니다."

"자기 존재 자각과 더불어 인식이 시작된다, 이 부분을 설명해주십시오." 다른 참가자의 요청이었다.

"어느 순간 자기 존재를 깨닫게 되었을 때 우리의 인식이 시작됩니다. 그러한 인식은 처음에는 존재에 대한 의문들입니다. 내가 '나'라는 의식, 내가 무엇을 해야 하는지에 대한 고민, 내가 어떻게 삶을 살아야 할까 하는 의식 등이 자기 존재에 대한 본질적 질문들입니다. 인식은 그러한 질문들을 만나게 되어 보다 많은 대답을 하여야 합니다. 즉, 보다 많은 질문들에 대해 인식은 대답을 해야 할 것이고 그것은 자신에 대한 질문과 대답일 수 있습니다."

토미 멜이 질문했다.

"마지막 질문입니다. '인식'을 통해서 우리는 어떻게 살아가야 할까요? 태도에 대한 질문입니다."

이리나 파르크는 잠시 생각에 잠긴 듯하더니 곧 말했다.

"'자기 삶'을 사십시오. 그리고 사랑하는 사람들을 곁에 두십시오. '인식'의 목표는 자기 삶을 어떻게 살아가야 할지에 대한 것입니다. 그리고 그렇게 살아가는 이유는 자신과 사랑하는 사람들을 위해서입니다. '인식'을 곁에 두고 늘 질문하는 삶이 되길 바라겠습니다. 이상입니다."

참가자들이 박수했고 이리나 파르크는 자리에 앉아서 책에 서명을 해주고는 함께 단체 사진을 찍었다.

12월이 가고 1월이 되었다.

올랜도 파르크는 여전히 철학 교수로서 열심이었고, 그는 겨울 방학 동안 서재에서 시간을 보냈다. 이리나 파르크는 이 모든 일을 돌아보았다.

'인식의 길'을 갈 것이고 그리고 운명이 그녀를 어떤 길로 이끌든지 그녀는 자신의 삶을 사랑할 생각이었다.

작가의 말

대학의 철학 교수 올랜도 파르크는 우연히 그의 수업을 듣는 여학생인 이리나 몰도브를 사랑하게 된다. 그는 그녀를 사랑하게 되었지만 그러한 사실을 그녀에게 알리지 않는다. 교수와 학생이라는 그들의 공적인 신분 때문이었다.

이리나는 아버지가 갑자기 돌아가셔서 실질적인 집안의 가장이 되면서 대학에 나오지 못하게 된다. 그때 올랜도 파르크는 그녀에게 개인 수업을 제안한다. 이리나 몰도브는 어느 날 그녀가 고등학생 때 교회의 철학 선생님이었던 토미 멜을 그 수업시간에 데리고 온다.

토미 멜의 등장으로 올랜도 파르크는 그의 마음을 이리나에게 고백하게 되고 이리나는 그를 받아들인다. 가을이 되고 그들은 이른 감이 있지만 결혼하게 된다.

이리나는 결혼 후에도 자기 인식이 뜻하는 바대로 계속해서 철학 저술을 해나간다.

이리나 파르크를 통해 우리는 자기 삶에 어떤 진지함을 나눌 수 있다. 자신이 원하는 것을 분명히 알고 노력을 통해서 그것을 이루는 자세 말이다.

이리나 파르크가 그녀의 책 북토크에서 쓴 '인식'이라는 단어가 상당히 깊은 의미임에 주목한다. 그것은 자기를 인식하고 존재를 확장하고 의미를 남기는 일이다.

'자기 인식'은 '인식'의 시작이고 또 평생 파야 할 우물이기도 하다. 운명이 우리를 어떤 길로 이끌든 우리는 자기 인식으로 그 운명을 받아들고 극복할 수 있다.

여기 그대만의 '인식의 길'이 있다.

그것은 자기 자신만의 길이며 자기 자신만의 시야이다. 우리는 평생 인식의 과제를 안고 걸어갈 수 있다. 그 과제는 우리가 이루고 싶은 것을 이룰 힘이다. 온전히 자기 자신만의 삶을 산다. 그 과정에서 인식이 힘이자 벗이 되어줄 것이다.

그렇게 자기만의 삶을 살아낸다. 그렇게 우리는 어느 순간 철학의 연인이 되어 있을지도 모른다.

– 장현정

노트

발 행 | 2024년 1월 24일
저 자 | 장현정
펴낸이 | 한건희
펴낸곳 | 주식회사 부크크
출판사등록 | 2014.07.15.(제2014-16호)
주 소 | 서울특별시 금천구 가산디지털1로 119 SK트윈타워 A동 305호
전 화 | 1670-8316
이메일 | info@bookk.co.kr

ISBN | 979-11-410-6799-1

www.bookk.co.kr